Juan Madrid
Der Schein trügt nicht

SERIE PIPER
Band 5606

Zu diesem Buch

Eigentlich möchte Toni Romano, der Ex-Boxer und Gele-
genheitsdetektiv, nur in Ruhe in seiner Stammkneipe ein
Gläschen trinken. Statt dessen muß er mit ansehen, wie be-
rufsmäßige Killer einen mächtigen Politiker und Geschäftsmann erschießen. Unfreiwillig wird er nach und nach in eine
böse Geschichte hineingezogen.
»Im Augenblick gibt es in Spanien nur wenige Vertreter des
authentischen Kriminalromans. J. Madrid ist einer der beiden.« Manuel Vázquez Montalbán

Juan Madrid, geboren 1947 in Malaga. Lebt in der Madrider
Altstadt mit ihren Intellektuellencafès und Spelunken, ihren
Säufern, Süchtigen und verkrachten Typen. Er arbeitet neben
seiner Schriftstellertätigkeit als Polizeiberichterstatter für die
Zeitschrift »Cambio 16«.

Juan Madrid

Der Schein trügt nicht

Kriminalroman

Aus dem Spanischen von
Hans-Joachim Hartstein

Piper
München Zürich

SERIE PIPER
SPANNUNG
Herausgegeben von Friedrich Kur

Von Juan Madrid liegen in der
Serie Piper Spannung außerdem vor:
Ein Geschenk des Hauses (5591)
Ein freundschaftlicher Kuß (5593)

Die Originalausgabe erschien 1981
unter dem Titel »Las apariencias no engañan«
bei Ediciones Júcar, Madrid.

ISBN 3-492-15606-1
August 1993
R. Piper GmbH & Co. KG, München
Lizenzausgabe mit Genehmigung des Elster Verlags,
Bühl-Moos
Originalausgabe © Juan Madrid 1981
Deutsche Ausgabe © Elster Verlag GmbH und Co. KG,
Bühl-Moos 1989
Umschlag: Federico Luci,
unter Verwendung einer Zeichnung von Jörg Extra
Gesamtherstellung: Clausen & Bosse, Leck
Printed in Germany

Für Luis Pasamar
und Miguel Vidal Santos

I

Damals arbeitete ich als bewaffnete Aufsicht in der Diskothek *La Luna de Medianoche* in der Calle de Jardines, ganz in der Nähe der Puerta del Sol. Ich verdiente genausoviel wie ein Kellner, erhielt allerdings keine Trinkgelder. Gegen zehn Uhr abends fing ich an, und um vier Uhr morgens, wenn geschlossen wurde, ging ich nach Hause. Mein Job bestand darin, zu verhindern, daß jemand die Zeche prellte oder daß die Besoffenen zu lästig wurden. Was mich von den übrigen Angestellten unterschied, war mein *Gabilondo*, den ich bei mir tragen mußte. Jeden Abend kam ich also mit der Waffe am Gürtel zur Arbeit. Im Schulterhalfter hätte sie das Jackett meines leichten Sommeranzugs zu sehr ausgebeult.

Zu dem Lokal ging es einige Stufen, die mit Teppichboden ausgelegt waren, nach unten. In einer Art Foyer befand sich die Garderobe, von wo aus eine weitere Treppe zu den Toiletten und dem Aufenthaltsraum der Kellner führte, der immer abgeschlossen war. Vom Garderobenraum ging's direkt in das eigentliche Tanzlokal, in dem für vierhundert Personen Platz war – Sitz- und Stehplätze zusammengenommen. Auf jeder Seite befand sich eine lange Theke. Die Tanzfläche war in der Mitte, links davon die Kabine von Charli, dem Diskjockey.

Das Lokal war in Grün und Weiß gehalten; wenn das Licht ausgeschaltet war, bemerkte man weder die Schweinereien auf dem Teppichboden noch die Brandlöcher in den Sesseln. Doch das war den Leuten hier ziemlich egal. Die meckerten nicht mal über Getränke aus nachgefüllten Flaschen, über das allgemeine Gedränge oder die schlechte Belüftung.

Ich konnte gratis trinken und mit meiner Freundin Lidia quatschen, dem Mädchen in der Garderobe. An einem ruhigen Abend konnte ich sogar nach oben ins Büro des Chefs gehen und auf dem Sofa ein Schläfchen machen. Der einzige Nachteil war der, daß ich mich mit den Besoffenen rumschlagen und die schrille moderne Musik ertragen mußte. Aber es gibt eben keine Arbeit ohne Schönheitsfehler, und so war ich relativ zufrieden.

Eines Abends kam Blas in den Garderobenraum, der Geschäftsführer, ein kleines Männchen mit weißem Schnäuzer. Früher hatte er sich als Bantamgewicht einen gewissen Namen gemacht. Prahlte damit, fünf Runden im Kampf um die Weltmeisterschaft gegen Jean Cracovian gestanden zu haben, was ich jedoch für eine seiner Lügengeschichten hielt.

Blas sah mich lange an, eine Angewohnheit, mit der er mich daran erinnern wollte, daß ich's nicht mal zur spanischen Meisterschaft gebracht hatte.

„Toni", sagte er, „da drin machen ein paar Typen Ärger."

Ich nahm den Ellbogen von der Garderobentheke und drückte meine Zigarette im Aschenbecher aus. Lidia lächelte Blas zu, wodurch sie mich auffordern wollte, ebenfalls nett zu ihm zu sein.

„Hallo, Blas", antwortete sie für mich. „Viel Arbeit?"

„Toni", wiederholte der Geschäftsführer, „du solltest mal eine Runde durch den Saal machen. Dafür bist du schließlich hier."

Ich nahm einen Schluck von meinem Gin-Tonic.

„Viel los, was?" sagte Lidia. „Und diese Hitze!"

„Toni!" Blas tippte mir auf die Schulter. „Ab und zu 'n bißchen Arbeit täte dir ganz gut. Sie sind da drin, zwei Typen mit 'ner Nutte, und noch einer mit einem Akkordeon. Haben sich schon drei Flaschen Champagner reingetan. Ich fänd's gut, wenn du dich mal drum kümmern würdest."

„Sind mir schon eben aufgefallen. Besoffene... Was machen sie?"

„Sagen, die Musik wär Scheiße, wollen Salsa hören. Ich habe gesagt, es geht nicht."

„Damit tun sie doch keinem weh!"

„Sie wollen, daß der mit dem Akkordeon spielt."

„Der mit dem Akkordeon?"

„Ja."

In diesem Augenblick hörte man durch Charlis schrille Musik ein Akkordeon. Das Gewirr von Körpern und Köpfen versperrte mir die Sicht.

„Das sind sie!" Blas zeigte mit dem Finger über die Köpfe hinweg auf den hinteren Teil des Lokals. „Sie haben angefangen zu spielen."

Ich ließ mein Glas stehen und drängte mich mit ihm durch die Menge. Obwohl es ziemlich dunkel war, erkannte ich sie sofort hinten in einer der Ecken. Lächelnd ging ich auf sie zu. Die Kerle waren gut gekleidet. Einer sah kräftig aus, mittleres Alter, onduliertes Haar. Der zweite war jung und blond und trommelte mit den Händen auf den Tisch. Sein pockennarbiges Gesicht sah aus wie 'ne Kraterlandschaft. Die Frau lachte die Tonleiter rauf und runter, wobei sie sich im Takt auf die Schenkel schlug. Sie war groß, vollbusig, mit pechschwarzen Haaren, Typ Mulattin. Auf dem Boden saß ein schmächtiger Bursche mit spärlichem weißen Haar und spielte Akkordeon. Von dem Höllenlärm fielen einem fast die Ohren ab.

Ich legte dem Alten die Hand auf die Schulter.

„Das geht nicht", sagte ich.

„Ich..." stammelte er.

Er war sehr alt. Zu alt, um auf dem Boden zu sitzen und den Affen zu spielen.

„He!" schrie der Kerl mit dem ondulierten Haar den Alten an. „Spiel weiter! Wieso hörst du auf?"

„Tut mir leid", sagte ich. „Akkordeonspielen ist hier verboten."

„Scheiße!" rief die Frau. Der junge Blonde schlug auf den Tisch und sang weiter. „Wo bleibt die Musik?"

„Was willst du, he?" fragte der mit dem gewellten Haar grinsend. „Gefällt dir die Salsa nicht?"

„Hör mal", sagte ich langsam. „Das geht nicht. Tut mir leid."

„So 'ne Scheiße!" krähte der Blonde. „Warum darf man in diesem Scheißladen nicht tanzen?"

„Ich kann nichts dafür", stotterte der Alte mit dem Akkordeon und sah mich flehend an. „Die haben mir gesagt, ich soll spielen."

„Schnauze!"

„Ja… jawohl, Señor."

„Es gibt hier um die Ecke genug Lokale mit Salsa-Musik", erklärte ich.

„Die haben dicht… Aber ich will tanzen!"

Die Frau machte einen Schmollmund.

„Wenn ich sage, der Alte soll spielen, dann spielt er auch", meldete sich wieder der Wellensittich mittleren Alters.

„Machen Sie keinen Ärger", sagte ich zu ihm. „Wenn Sie bleiben wollen… bitte! Aber das Akkordeon wird nicht angerührt."

„Wer kann bei dem Krach hier tanzen?" rief die Frau.

„Die sollen 'ne Schnulze spielen", sagte der Blonde. Ein richtiger Witzbold.

Er lachte laut los, aber niemand lachte mit.

„So ist hier eben die Musik", sagte ich. „Mir gefällt sie auch nicht. Aber wie gesagt, Akkordeon darf hier nicht gespielt werden."

Der Ältere mit dem ondulierten Haar wedelte mit einem Fünfhunderter.

„Hier, für dich, und sag dem Jungen am Plattenteller, der soll andre Musik spielen. Ich will Salsa tanzen."

„Ganz genau!" rief die Frau.

„Salsa haben wir nicht."

„Was ist los? Sind fünfhundert nicht genug?"

„Vielleicht ist er beleidigt", warf die Frau ein. „Gib ihm tausend, sonst läßt er uns nicht tanzen."

Der Wellensittich wedelte wieder mit dem Schein und sagte lächelnd zu der Frau:

„Nein, mein Schatz, fünfhundert müssen reichen. Und du nimmst jetzt das Geld", wandte er sich wieder an mich, „und läßt andere Musik spielen. Sonst mußt du dir unser Akkordeon anhören."

„Sie gehen mir so langsam auf die Nerven", erwiderte ich.

„Dürfen wir hier wirklich nicht tanzen, Liebling?" schmollte die Frau. Dann zu mir: „Warum sind Sie so unfreundlich zu uns?"

„Señora, wenn wir eine Kapelle brauchen, sagen wir Ihrem Akkordeonspieler Bescheid. Das verspreche ich Ihnen!"

„Du Arschloch! Wir hören unsere Musik, ob dir's paßt oder nicht! Los, Alter, spiel!"

„Nein", beharrte ich. „Wir haben genug Platten."

„Ich find deine Musik beschissen. Die kannst du dir sonstwo reinstecken. Was der Alte spielt, gefällt mir schon besser. Los, Alter, hau rein!"

„Señor... Ich..." stammelte der Ärmste.

„Wenn Ihnen unsere Musik hier nicht gefällt, dann gehen Sie bitte! Haben Sie mich verstanden?"

Der Wellensittich stand auf. Er war wirklich groß und stark, mit regelmäßigen Gesichtszügen und vollen Lippen. Fand sich hübsch, und vielleicht war er's sogar.

„Los, schmeiß mich raus."

Er zeigte mir die Zähne.

Der Alte brachte sich und sein Akkordeon in Sicherheit.

„Nein", sagte ich, „wenn Sie sich ordentlich benehmen... Bei uns sind witzige Gäste immer willkommen!"

„Wer ist das denn überhaupt?" rief die Frau.

„Der Hausgorilla", antwortete ihr Liebster.

„Los, gehen wir", mischte sich der Junge mit dem Pickelgesicht ein. „Ich will weg. Besser, wir haun' ab."

„Vorher tanzen wir noch! He, Alter!" Er schnippte mit den Fingern in Richtung Akkordeon. „Spiel jetzt endlich!"

Die übrigen Gäste sahen der Gratisvorstellung amüsiert zu. Blas kam mir zu Hilfe.

„Was ist los, Toni?"

„Die fliegen jetzt nacheinander raus", sagte ich. „Ich bin's leid."

„Hier wird kein Akkordeon gespielt, Señor", erklärte Blas.

„Mach Platz!" schrie der Wellensittich und stieß unseren Geschäftsführer zur Seite.

Blas dreht sich und verpaßte ihm einen Haken auf die Leber, dann einen ans Kinn. Die Frau schrie auf. Der große, kräftige Kerl lieferte sich mit Blas einen regelrechten Boxkampf.

Der Blonde sprang auf und schlug mir mit der Faust direkt ins Gesicht. Er war sehr schnell. Nur mit Mühe konnte ich ihm ausweichen und seine Linke abblocken. Er bewegte sich wie eine Katze, rammte mir sein Knie zwischen die Beine. Gleichzeitig traf etwas Hartes meinen Kopf. Ich sah Sterne und stürzte zu Boden.

Als ich aufwachte, hielt Lidia meinen Kopf. Es herrschte Festbeleuchtung, aber die Musik war verstummt. Mehrere Augenpaare blickten mich an.

„Beweg dich nicht, du blutest."

„Wo sind sie, Lidia?"

„Weggegangen."

„Alles in Ordnung?" Blas lächelte mir zu. Er hatte ein blaues Auge. „Wir haben's ihnen tüchtig gegeben."

„Warum hast du sie gehen lassen?"

„War besser so. Hatten alles bezahlt."

Ich kam wieder auf die Beine.

„Wer hat mir den verpaßt?"

„Die Kleine hat dir eins mit der Flasche übergezogen", sagte Lidia. „Dieses Miststück!"

Einer der Kellner, Longares, sammelte Glasscherben auf. Charli trat zu uns.

„Soll ich wieder *power* geben? Oder machen wir dicht?"

„Dreh wieder auf", entschied Blas. „Sind schon einige gegangen, ohne zu bezahlen. Prima Abend!"

Lidia nahm meinen Arm, und wir gingen zur Garderobe,

dann die Treppe hinunter. Ihre Mutter bekreuzigte sich, als sie mich sah.

„Um Gottes willen, was haben sie mit dir gemacht!" rief sie.

„Schrei nicht so, Mutter."

„Nicht der Rede wert", beruhigte ich die alte Frau. „Zwei Aspirin bringen das wieder in Ordnung."

„Bleib hier unten, ich hol' sie dir", sagte sie.

Wir gingen in die Toilette. Ich zog mein Jackett aus, und Lidia säuberte mit einem feuchten Handtuch die Wunde.

„Tut's weh? Das gibt 'ne erstklassige Beule."

„Kanntest du die Leute, Lidia?"

„Den Alten nennen sie Zazá Gabor. Spielt hier in der Gegend Akkordeon."

„Schön. Und die andern?"

„Halt still! Die anderen Typen kenne ich nicht. Warum läßt du das Ganze nicht auf sich beruhen?"

„Sahen aus wie Südamerikaner."

Lidia zuckte die Achseln und betupfte wieder meinen Hinterkopf.

„Ich glaub, das muß genäht werden."

„Und die Frau, Lidia? Hast du die schon mal gesehen?"

„Das ist die Kolumbianerin, Emilia heißt sie. Ist früher auf den Strich gegangen, in der Calle de Valverde, glaub ich. Jetzt arbeitet sie anscheinend als Kellnerin."

„Wo?"

„Keine Ahnung. Halt doch endlich mal still!"

„Weißt du das genau?"

„Nein. Hör mal, Toni, du hast 'ne Flasche auf den Kopf gekriegt. Warum bist du nicht mal still?"

Lidias Mutter kam mit zwei Aspirin und einem Glas Wasser zurück.

„Hier, nimm die, du verdammter Kerl! Jesus-Maria-Joseph, immer diese Schlägereien!"

Ich spülte die Tabletten mit Wasser hinunter und zog mein Jackett wieder an. Es war blutverschmiert, genauso wie der Hemdkragen. Ich nahm mir vor, die Reinigungskosten auf die

Spesenrechnung zu setzen. In meinem Kopf hämmerte es, aber aus der Wunde tropfte kein Blut mehr. Ich bedankte mich bei Mutter und Tochter. Lidia sah mich besorgt an.

„Das reicht jetzt", entschied ich.

Ich ging hinauf ins Lokal, stützte mich mit den Ellbogen auf die Theke und bat Braulio um einen doppelten Kognak. Die Gäste hatten wieder angefangen zu tanzen, als wäre nichts geschehen. Die farbigen Lichtbündel, die Charli durch den Saal kreisen ließ, wirkten wie Nadelstiche in meinem mißhandelten Kopf. Braulio stellte das Glas vor mich auf die Theke und sagte:

„Hätt mich fast in den Arsch gebissen, weil ich dir nicht helfen konnte, Toni."

„Vergiß es, Braulio. Kennst du die Typen?"

„Nein, keine Ahnung. Bestimmt Zuhälter. Aber wenn ich die noch mal sehe, können die was erleben! Wie fühlst du dich?"

„Gut."

Ich nahm gerade einen Schluck, als Blas zu mir trat.

„Wie geht's dir, Champion?" fragte er und schlug mir auf die Schulter.

„Tut richtig gut, wenn der Schmerz nachläßt."

„Was war los?"

„Nichts, nur daß der Junge schneller war."

„Hast du den Haken gesehen, den ich dem Langen verpaßt habe?"

„Ja, hab ich."

„Gut, was?"

„Ja, sehr gut."

Er schlug mir wieder auf den Rücken.

„Also, Champion, dann laß dir mal den alten Kopf verarzten."

Er ging. Braulio stellte mir noch einen Kognak hin, den ich sofort runterkippte. Ein prima Kerl, dieser Braulio. Hatte Blas hinsichtlich seines Alters belogen, um als Aushilfskellner zu arbeiten. Viele unserer weiblichen Gäste fanden ihn hübsch, meinten, er sehe aus wie John Travolta.

Ich blieb an der Theke stehen und sah den Leuten zu, die sich Mühe gaben, einen netten Abend zu verbringen. Sie zahlten dafür und wollten ihr Geld nicht zum Fenster rausschmeißen.

Den Rest der Nacht verbrachte ich damit, an den blonden Helden mit dem Pickelgesicht zu denken. Da nicht viel zu tun war, hatte ich reichlich Zeit dafür. Bevor geschlossen wurde, überredete ich noch einen Besoffenen, draußen zu pinkeln. Aber das kostete mich nicht viel Mühe.

Ich glaube, die Geschichte passierte im Frühling. Die Nächte waren nämlich noch kühl. Vor der Tür verabschiedeten Lidia und ich uns von den Kollegen, dann gingen wir die Calle Montera hinunter zur Puerta del Sol. Von dort gingen wir zu mir nach Hause in die Calle de Esparteros.

Damals hatte ich noch keinen blassen Schimmer von der Rolle, die der Blonde in meinem Leben noch spielen sollte.

2

Wenige Tage später traf ich den Blonden mit dem pocken-
narbigen Gesicht wieder, allerdings unter ganz anderen
Umständen. Ich sah ihn im *Gavilán*, einem verrufenen Club.
Mittwochs – an meinem freien Tag – ging ich häufig dorthin,
nicht weil *El Gavilán* ein besonders gemütliches Lokal gewesen wäre, sondern weil ich den Inhaber, Baldomero, noch aus
der Zeit kannte, als er Trainer beim Boxsportverband gewesen
war. Der Club war mir zu düster, lang und schmal, ein
Schlauch mit ein paar schlechten Zeichnungen von Vögeln an
der Wand. Baldomero hatte das Lokal in der Hoffnung eröff-
net, eine erlesene Kundschaft anzuziehen; aber seitdem war
viel Zeit vergangen. Freitags und samstags standen drei
Frauen an der Bar, in der Woche jedoch, vor allem zu vorge-
rückter Stunde, kamen nur zwei. Und die machten ein
Gesicht, als täten sie Baldomero einen Gefallen.

So gegen zehn betrat ich das Lokal und stellte mich an die
Theke, die Ellbogen aufgestützt, wie es meine Art ist.

„Wie geht's dir?" fragte Baldomero.

„Gut", antwortete ich. „Gib mir 'n Bier."

Er stellte es vor mich hin. Ich trank in langsamen Zügen.
Das Lokal war leer, bis auf einen Tisch hinten, an dem drei
dunkle Gestalten saßen. Sie steckten die Köpfe zusammen
und flüsterten leise miteinander. Ich konnte sie nicht richtig
erkennen, sah nur, daß es drei Männer waren, zwei davon jung
und der dritte dick, mit einem etwas zu großen Kopf.

Plötzlich sprang der Dicke auf und versetzte einem seiner
Begleiter eine schallende Ohrfeige. Hörte sich an wie ein
Pistolenschuß.

„Idiot!" schrie er.

Sein Stuhl kippte um. Der Geohrfeigte sprang ebenfalls auf. Blitzschnell schlug er dem Dicken zweimal ins Gesicht, ohne einen Ton zu sagen. Der Dicke schnaubte, überrascht, daß so mit ihm umgesprungen wurde. Jetzt stand auch der Dritte auf. Schweigend standen sich die drei gegenüber und starrten sich an.

Die beiden Jungen trugen schwarze Lederjacken. Einer war dunkelhaarig, der andere blond. Der Blonde brach in Gelächter aus und holte aus seiner Lederjacke eine schwere Automatic. Kommentarlos drückte er ab. Der Dicke taumelte rückwärts, warf die Arme in die Luft und prallte gegen die Wand. Ganz langsam, mit schreckgeweiteten Augen, sackte er zusammen.

Ich warf mich auf den Boden, in der Hand meinen 38er *Gabilondo*. Über mir hörte ich die Kugeln pfeifen, die der andere Kerl auf mich abfeuerte. Genau an der Stelle, wo eben noch mein Bauch gewesen war, drangen sie in die Theke ein und blieben auch dort, für den Fall, daß jemand sie sich ansehen wollte. Im Gegenzug leerte ich mein Magazin in seine Richtung. Er schwankte, ging dann schließlich neben der Tür zu Boden, ohne auch nur einen Seufzer von sich zu geben. Ich hatte mich blitzschnell herumgerollt. Der Blonde pflasterte den Boden mit Blei. Ich zielte in seine Richtung und drückte ab. Ohne Erfolg. Mein leerer Revolver gab nur ein „Klick" von sich.

Der Blonde hatte wertvolle Sekunden verschenkt, weil er zu dem Dicken gegangen war, um ihm aus nächster Nähe noch eine Kugel in den leblosen Körper zu jagen. Das hatte mir das Leben gerettet. Mit affenartiger Gechwindigkeit rannte er zum Ausgang und sprang über den Körper seines Komplizen.

Ich sprang auf und setzte ihm nach. An der Tür stieß ich mit einem Mann zusammen, der gerade hereinkam. Er trug eine grüne Livree und auf dem Kopf eine Dienstmütze. Ich prallte zurück, fiel auf den Rücken, so als wär ich gegen einen Briefkasten gerannt. Der Kerl wankte keinen Zentimeter. Unerschütterlich setzte er den Fuß über die Leiche des Dunkelhaarigen und betrat den Club. Nicht mal seine Mütze war verrutscht. Ich rappelte mich wieder hoch und stürzte auf die Straße. Sie war menschenleer, keine Spur von dem Blonden. Ich lief auf die Mitte der Fahrbahn und sah in beide Richtungen. Gegenüber parkte ein riesiger schwarzer Mercedes. Wie ein Wal, der sich an einem leeren Strand ausruht. Ich ging hin und sah hinein. Der Wagen war leer. Auf dem Rücksitz lag ein verknautschter blauer Mantel.

Der blonde Scharfschütze war wie vom Erdboden verschluckt.

Die Schießerei hatte kaum eine Minute gedauert. Ich ging wieder ins Gavilán.

„Was ... was ist passiert, Toni?" fragte Baldomero stotternd und lugte mit dem Kopf ängstlich über die Theke.

„Ruf die Polizei!" befahl ich.

„Ja, sofort."

Schlotternd verschwand er in seinem Büro.

Der Mann in der grünen Livree beugte sich über die Leiche des Dicken und sah sie sich aufmerksam an. Als ich näherkam, richtete er sich auf und wandte sich mir langsam zu. Er war einen Kopf größer und mindestens zehn Kilo schwerer als ich. Wahrscheinlich mußte er sich seine Kleidung nach Maß anfertigen lassen, vor allem die Jacken. Er war groß, überaus breitschultrig, mit kantigem, von Bartstoppeln bläulichem Gesicht. Er gehörte zu denen, die sich auch noch abends rasieren müssen, um gewaschen auszusehen. Seine kohlschwarzen Augen drückten absolute Gleichgültigkeit aus.

„Haben Sie gesehen, wo sich der Junge versteckt hat?" fragte ich ihn. „Ist rausgelaufen, kurz bevor Sie reinkamen."

„Hab mich nicht umgedreht", erwiderte er.

„Wer ist das?" fragte ich und zeigte auf den Dicken.

„Mein Chef."

„Den hat der Blonde umgelegt, der eben rausgelaufen ist. Kennen Sie ihn?"

„Nein."

„Und den hier?"

Ich zeigte auf den Dunkelhaarigen am Boden.

„Auch nicht."

„Wem gehört der schwarze Wagen vor der Tür?"

Der grüne Felsen wies auf die Leiche des Dicken.

„Don Valeriano Cazzo."

Der Hinterkopf war ihm weggepustet worden, und der Gnadenschuß hatte den Rest erledigt. Um ihn herum hatte sich eine Blutlache gebildet, vermischt mit Hirn und Haaren. Sein schöner Anzug war ganz versaut. Aus weitaufgerissenen Augen, den Mund halb offen, sah mich der Tote an.

Jetzt erkannte ich ihn wieder.

Wie fast jeder hatte auch ich von Valeriano Cazzo gehört. Er war häufig im Fernsehen aufgetreten und hatte gegen Abtreibung, Scheidung, Gewalt und solche Dinge gewettert. „Anwalt der Familie" wurde er genannt, und es hieß, er könne es in der Politik weit bringen, wenn er wolle. Im Moment sah seine Karriere allerdings nicht so glänzend aus.

„Warum ist Ihr Chef hierhergekommen? Das ist doch kein Ort für ihn."

Der Grüne hob die breiten Schultern.

„Keine Ahnung, mir hat er nichts gesagt. Ich fahre dahin, wo man mich hinschickt."

Ich ging zu der Leiche des Dunkelhaarigen. Sie sah nicht besser aus als die andere. Die Kugeln aus meinem *Gabilondo* hatten sein Gesicht in so was wie einen Teller mit rohen Kaldaunen verwandelt. Der Tote war groß und athletisch gebaut. Neben ihm lag seine Pistole, eine vernickelte *Star*.

Ich steckte meinen Revolver ins Futteral und zündete mir eine Zigarette an. Der Riese mit der Dienstmütze fragte mich weder, warum ich eine Waffe bei mir trug, noch was ich mit ihr gemacht hatte. Er drehte sich um, ging zu einem der Tische, rückte einen Stuhl zurecht und setzte sich. Alles an ihm drückte Bedächtigkeit aus, seine Bewegungen glichen denen einer trägen Katze.

Baldomero kam aus der Küche und stellte eine Flasche Kognak auf die Theke. Auf seine einladende Geste hin schüttelte der Chauffeur ablehnend den Kopf. Ich entkorkte die Flasche und nahm einen ausgiebigen Schluck von mindestens zehn Minuten. Baldomero schloß sich mir an.

„Die Bullen kommen sofort", sagte er dann. „Sind die tot?"

„So tot wie meine Großmutter", erwiderte ich.

„Großer Gott, was für ein Blutbad", rief er. „Was meinst du, Toni, machen die mir den Laden dicht?"

„Bestimmt."

Baldomero lehnte sich über die Theke und beobachtete, wie der Teppich sich mit Cazzos Blut vollsaugte.

„Wer ist das?"

„Kennst du ihn nicht? Das ist Valeriano Cazzo."

„Der aus dem Fernsehen?"

„Genau der, und das da ist sein Chauffeur."

„Ach du Scheiße, dann machen die mir bestimmt den Club dicht!"

Er wandte sich an den Chauffeur. „Warum ist der ausgerechnet in mein Lokal gekommen? Konnte er nicht zu Hause bleiben?"

Der Gorilla hob nur wieder die Schultern.

„O Gott!" stöhnte Baldomero und setzte sich wieder die Flasche an den Mund. „Warum muß mir so was passieren?"

Ich kannte ihn schon seit langem und wußte, daß er dem Weinen nahe war. Er war klein und schmächtig, und sein Scheitel wurde immer breiter, weil er den Tick hatte, sich die Haare zu färben. Im Moment waren sie gerade rotbraun. Er fuhr sich mit der Hand über die Stirnglatze und fluchte leise vor sich hin, am ganzen Körper zitternd.

„Hast du Cazzo schon vorher mal hier gesehen?" fragte ich ihn.

„Ach was, nein! Der hat das *Gavilán* noch nie betreten, verdammte Scheiße!"

„Und die beiden Jungen?"

„Die waren auch zum ersten Mal hier."

„Mach Licht und schließ die Tür ab. Daß sich bloß kein Gast hierhin verirrt!"

Baldomero fluchte noch mal kräftig, drehte sich um und schaltete das Licht an. Dann ging er um die Leiche des Jüngeren herum zum Eingang und verriegelte die Tür.

Ich nahm noch einen Schluck Kognak aus der Flasche. Der Chauffeur saß immer noch unbeweglich da, wie in Stein gehauen.

„Toni", flüsterte mir Baldomero zu, „meinst du, ich sollte den Frauen Bescheid sagen?"

„Klar, damit ersparst du ihnen viel Ärger."

„Warum mußte das ausgerechnet in meinem Lokal passieren?"

„Schicksal."

„Großer Gott, ich kann gar nicht hingucken!"

„Dann guck auch nicht hin."

Baldomero senkte wieder die Stimme.

„Sieh dir den Kerl an! Wie aus Holz. Hat sich die ganze Zeit nicht bewegt."

„Laß ihn."

„Sein Chef liegt mausetot auf dem Boden, und er sitzt seelenruhig da." Laut sagte er zu dem Chauffeur: „Möchten Sie einen Schluck?"

„Nein, ich trinke nicht", antwortete der Angesprochene.

„Ruf die Frauen an", erinnerte ich den Wirt. „Die Polizei ist jeden Augenblick hier."

„Ja, sofort."

„Und deck die Leichen zu, mit einem Tischtuch oder so."

„Nein, mach ich nicht. Wer bezahlt mir das hinterher?"

„Ich! Los, deck die beiden zu ... Wir müssen noch 'ne Weile hierbleiben."

Baldomero bedeckte die Leichen mit zwei alten Plastikdecken. Dann ging er in sein Büro, um die Frauen zu benachrichtigen. Ich hielt mich an der Flasche fest.

3

Die Polizei traf ein, als der Blutgestank nicht mehr auszuhalten war. Zuerst betraten zwei Männer der *Policía Nacional* das Lokal und stellten sich respektvoll in eine Ecke. Dann kamen zwei von der Geheimpolizei herein. Der eine war jung, mit Messerhaarschnitt, und trug einen Anzug mit Weste. Der andere war um die sechzig. Seine kurze Knubbelnase paßte ganz und gar nicht in sein breites, grüngelbes und schlechtrasiertes Gesicht. Der zerknitterte Anzug war schon vor zehn Jahren aus der Mode gekommen.

Die beiden Geheimen blieben in der Mitte des Lokals stehen und sahen entsetzt auf die Leichen.

„Wer hat angerufen?" fragte der mit der Weste.

„Ich... Ich war's, Herr Inspektor", beeilte sich Baldomero zu sagen.

„Du Idiot! Warum hast du nicht gesagt, daß hier zwei Tote liegen?"

„Ruf die Mordkommission an, González", befahl der Ältere. „Wo steht das Telefon?"

„Hier entlang, Herr Inspektor. Ich zeig Ihnen den Weg."

Der Mann namens González folgte Baldomero hinter die Theke und dann ins Büro. Der Ältere kam zur Theke, nahm die Flasche und trank einen Schluck. Dauerte 'ne ganze Weile. Dann schnalzte er mit der Zunge und sah uns nacheinander lange an.

„Also, was ist passiert? Wollten die nicht zahlen?"

Ich erzählte ihm, so gut ich konnte, was vorgefallen war. Erwähnte auch, um wen es sich handelte und warum ich bewaffnet war. Er hörte sich alles aufmerksam an. Dann ging er zu der Leiche von Valeriano Cazzo, lüftete die Plastikdecke und pfiff leise durch die Zähne. Das gleiche wiederholte sich bei der zweiten Leiche.

Ich holte meinen *Gabilondo* raus und legte ihn auf die Theke.

„Kanntest du sie?" fragte der Mann mit der Knubbelnase.

„Nein", antwortete ich.

„Du hast ihm das Gesicht ganz schön verunstaltet. Schießt du immer so gut, oder hattest du Glück?"

„Er hat zuerst geschossen."

„Das behauptest du. Eure Ausweise!"

Der Chauffeur und ich gaben ihm unsere Papiere, die er sich sorgfältig ansah.

„Dann wollen wir mal sehen", sagte er schließlich. „Don Valeriano Cazzo saß mit dem hier ..." Er zeigte auf die andere Leiche. „... und mit dem, der abgehaun ist, dort hinten am Tisch. Plötzlich kriegten sie sich in die Haare, ohrfeigten sich, und dann hat der, der abgehaun ist, geschossen. War's so?"

„Sie wollten keine Zeugen zurücklassen", warf ich ein, „und haben auch auf uns geschossen, auf den Wirt und mich. Warum, geht mich nichts an."

Der mit der Weste, González, kam mit Baldomero aus dem Büro, Zigarette im Mundwinkel, in der Hand Baldomeros Personalausweis, den er dem Älteren reichte.

„Er ist der Inhaber", erklärte er. „Behauptet, nichts gesehen zu haben. Hat sich hinter der Theke versteckt, als die Schießerei losging."

„Wußtest du nicht, wer Valeriano Cazzo war?"

„Nein, Señor", antwortete Baldomero. „Sie waren zum ersten Mal in meinem Lokal."

„Was? Valeriano Cazzo?" fragte der Jüngere überrascht.

„Ja", bestätigte sein Kollege. „Das Geschenk für heute nacht. Kein Geringerer als Valeriano Cazzo, erschossen in einem Bumslokal."

González hob die Plastikdecke an und betrachtete das violette, aufgeschwemmte Gesicht von Valeriano Cazzo.

„Scheiße!" stieß er hervor. „Was war denn eigentlich hier los?"

Sein Kollege erzählte es ihm in allen Einzelheiten. Als er zu Ende geredet hatte, warf der Jüngere seine Kippe auf den Boden und trat sie aus.

„Das mußte ausgerechnet uns passieren!" knurrte er wütend.

Der mit dem grüngelben Gesicht setzte sich auf einen Tisch, stellte die Füße auf einen Stuhl und spielte mit den Personalausweisen. Er musterte den Chauffeur, dann wanderte sein Blick zu Baldomero und mir.

„Welche Rolle spielst du dabei?" fragte er den Chauffeur. „Was hat dein Chef hier gemacht? Das ist kein Lokal für einen Valeriano Cazzo."

Eigentlich war das gar keine Frage. Er sprach nur den Gedanken laut aus, der uns alle beschäftigte.

Der Chauffeur antwortete mit seiner tiefen, rauhen Stimme, die keinerlei Gemütsbewegung verriet:

„Ich fahr dahin, wo man mich hinschickt. Ich habe keine Fragen zu stellen."

„Wann genau ist dein Chef hier angekommen?"

„Um halb zehn. Ich hab gegenüber geparkt und gewartet. Er hat mir nicht gesagt, wie lange er drin bleiben würde, auch nicht, warum er hierher wollte. Er hatte mir nur die Adresse dieses Clubs genannt, und ich hab ihn hergefahren. Ich hab also im Wagen gewartet, als ich Schüsse hörte. Ich bin ausgestiegen und in das Lokal hier gegangen. Dabei hab ich einen blonden jungen Mann in einer schwarzen Lederjacke rauslaufen sehen."

„Hast du eine Pistole in seiner Hand gesehen?" fragte der Polizist.

„Darauf hab ich nicht geachtet. Ich hab mich auch nicht umgedreht und weiß nicht, in welche Richtung er gelaufen ist."

„Woher wußtest du, daß es Schüsse waren, die du gehört hast?" fragte González.

Der Chauffeur hob die Schultern.

„Ich war beim Militär", antwortete er nur.

Der ältere Polizist sprang von seinem Tisch herunter und ging zu der Stelle, an der Cazzo und die beiden Jungen gesessen hatten. Die Stühle lagen immer noch umgekippt auf dem Boden. Die Augen des Geheimen musterten den leeren Tisch.

„Wo sind die Getränke?"

„Was?" rief Baldomero.

Müde wiederholte der Beamte seine Frage.

„Sie haben nichts mehr bestellt."

„Wie meinst du das?"

„Also, zuerst kamen die beiden Jungen und setzten sich da an den Tisch. Sie bestellten zwei Bier. Ich hab sie ihnen gebracht…"

„Wann sind die beiden reingekommen?" unterbrach ihn der Ältere.

„Kurz vor Señor Cazzo. Wie gesagt, ich wußte nicht, wer das war, und…"

„Komm zur Sache."

„Also gut… Ich hab ihnen das Bier gebracht. Als Señor Cazzo kam, haben sie sich an den anderen Tisch da gesetzt. Ich bin hingegangen, aber sie haben gesagt, sie würden mich schon rufen, wenn sie noch was wollten. Ich hab die Gläser vom anderen Tisch mitgenommen und…"

„… sie gespült?"

„Ja, Señor. Hatte sonst nichts zu tun."

„Du Rindvieh!" rief der mit der Weste. „Hast die Fingerabdrücke verwischt!"

„Ich wußte doch nicht…" stotterte Baldomero. „Das einzige, was ich…"

„Moment", mischte ich mich ein. „Wenn Sie jemanden verhören wollen, dann sagen Sie's. Wir haben nämlich Anspruch auf einen Anwalt, der bei dem Verhör anwesend ist. Wenn Sie sich allerdings nur ein wenig mit uns unterhalten wollen, in Ordnung! Dann aber bitte keine Beleidigungen. Dieser Abend war für keinen von uns besonders angenehm."

González kam langsam auf mich zu. Er stank fürchterlich nach Rasierwasser.

„Du weißt ja gut Bescheid, was? Wie heißt du denn, du Witzbold?"

„Antonio Carpintero", antwortete sein Kollege. „Er hat den andern umgelegt... sagt er jedenfalls. Er arbeitet als bewaffnete Aufsicht in der Diskothek *La Luna de Medianoche.*"

„Stimmt, und wie ich eben schon gesagt habe, bin ich hierher gekommen, um ein Bier zu trinken. Ich hab viele Hobbys, aber nicht das, Leute umzubringen."

„Antonio Carpintero ist ein lustiger Vogel", bemerkte González.

„Nach dem Abendessen bin ich noch viel lustiger", gab ich zurück. „Ich hab heute abend aber noch nicht gegessen."

„Ach nein? Also, an Spaßvögeln hab ich überhaupt keinen Spaß, und noch weniger an Leuten mit 'ner großen Fresse. Hast du noch mehr Gags auf Lager, Witzbold?"

„Dir macht's sicher Spaß, Leute abzuknallen. Ich für meinen Teil hab mit dem da mein Leichensoll erfüllt."

González wurde blaß. Er ballte die Fäuste und kam noch einen Schritt auf mich zu.

„González", mahnte der andere.

„Aber...!"

„Laß ihn!"

„Wenn der noch einen einzigen Witz losläßt, garantiere ich für nichts!"

„Es lohnt doch nicht", sagte der Ältere beruhigend. Nach einer Pause fragte er mich: „Wo hast du schießen gelernt, Carpintero? Die Clubaufseher sind im allgemeinen nicht so gute Schützen."

„Ich war bei der Polizei."

Er sah mich aufmerksam an.

„Du warst bei der Polizei?"

„Bin vor fünf Jahren gegangen. Du kannst dich erkundigen.

„Carpintero? Nie gehört."

„Ich war allgemein unter dem Namen Toni Romano bekannt."

„Ach so!" rief er. „An den kann ich mich erinnern. Die haben dich rausgeschmissen, glaub ich. Ich war damals in Valencia, hab aber viel über dich gehört."

„Man hat mich nicht rausgeschmissen. Ich bin von selbst gegangen."

González lachte kurz auf.

„Rausgeschmissen…" murmelte er. „Solche Typen gehen mir furchtbar auf den Sack."

„Warum bist du gegangen?" fragte der andere.

„Das ist meine Sache."

„Antworte, wenn man dich fragt, du Klugscheißer!"

González tippte mir mit dem Zeigefinger auf die Brust. Baldomero räusperte sich.

„Soll ich Kaffee machen?" fragte er in die Runde. „Möchten Sie einen Kaffee, Herr Kommissar?"

„Ja, schwarz, ohne Zucker. Übrigens bin ich noch nicht Kommissar." Er wandte sich an die beiden von der *Policía Nacional*. „Möchten Sie auch was, Señores?"

„Einen Kaffee, Herr Kommissar", sagte einer der beiden, ein langer Bursche mit Flaumbart. Der andere bestellte was Erfrischendes.

„Und du, González?" fragte der Kommissaranwärter seinen jüngeren Kollegen.

Der nahm endlich seinen Zeigefinger von meiner Brust und hörte auf, mich wütend anzublitzen.

„Ich möchte nichts", knurrte er.

„Vielleicht eine Cola, Herr Inspektor?" fragte Baldomero.

„Na gut."

Baldomero ging hinter die Theke und machte sich an der Kaffeemaschine zu schaffen.

„Wer möchte sonst noch einen?" fragte er, „Du, Toni?"

„Ja", antwortete ich.

„Setzen Sie sich doch", sagte der Ältere zu den beiden von der *Policía Nacional*. „Wird wohl noch 'n Weilchen dauern."

Die Uniformierten setzten sich auf eines der Sofas in der Ecke. Ich ließ mich auf den erstbesten Stuhl fallen und zündete mir eine Zigarette an. In dem hellen Licht offenbarte sich der ganze Dreck des *Gavilán*, die Schäbigkeit der verblichenen Wände und des schmierigen Bodens mit den Brandflecken von tausend Kippen. In der Luft hing der eklig süßliche Blutgestank.

Als ich die fünfte Zigarette zu Ende geraucht hatte, hörte ich die Sirene der Ambulanz. Sie sperrten die Straße ab, verscheuchten die Neugierigen von der Tür und störten nicht weiter. Unauffällig und schnell erledigten die Beamten vom Erkennungsdienst, der Gerichtsarzt und der Untersuchungsrichter ihre Arbeit, so daß ich kurz vor Tagesanbruch auf dem Rücksitz eines *Zeta* zur DGS fuhr, eingeklemmt zwischen zwei Uniformierten, die furchtbar nach Schweiß stanken.

Durch den Eingang in der Calle Correo betraten wir das Hauptgebäude der *Policía Nacional*. Im zweiten Stockwerk befanden sich die Räume der Kripo. Auf dem Flur sah ich Baldomero und den Chauffeur. Ich mußte in einem Zimmer warten... zusammen mit einem Paar Handschellen.

Schon nach drei Stunden wurden sie mir abgenommen. Jemand brachte mir einen Kaffee, klopfte mir freundschaftlich auf die Schulter und erlaubte mir zu rauchen. Das hieß, daß die ballistischen Untersuchungen abgeschlossen waren und kein Zweifel bestand, daß ich den Dunkelhaarigen in Notwehr erschossen hatte.

Kurz darauf kam ein Mann mit Hornbrille herein. Er stellte sich als Chef der Kriminalpolizei vor. Zwei weitere Polizisten und der Beamte mit dem grüngelben Gesicht begleiteten ihn.

„Carpintero, Sie haben Glück gehabt", begann der Chef. „Ihr Waffenschein ist in Ordnung, und was Sie ausgesagt haben, scheint glaubwürdig. Sie werden ja wissen, daß Sie Madrid nicht verlassen dürfen, bis Sie vor dem Untersuchungsrichter ausgesagt haben."

„Ist mir bekannt", antwortete ich.

„Gut. Im Augenblick interessiert uns nur eins: Haben Sie gesehen, wo sich der Mörder versteckt hat?"

„Nein."

„Sind Sie sicher?"

„Ja, Ich hab niemanden gesehen. Die Straße war menschenleer."

Die vier musterten mich schweigend, so als wollten sie rauskriegen, ob ich die Wahrheit sagte. Dann ließen sie mich wieder allein. Bis um sieben Uhr morgens konnte ich nicht nach Hause gehen, obwohl meine Wohnung nur einen Katzensprung weit von der DGS entfernt liegt.

In zwanzig Verhören, verteilt auf die darauffolgenden Tage, mußte ich immer wieder erzählen, was ich gesehen und getan hatte. Und alle möglichen Polizisten – mit dem gleichen Gesicht und den gleichen Gesten wie die, die ich in der Mordnacht kennengelernt hatte – äußerten sich über das, was ich hätte tun sollen, aber nicht getan hatte. Dann verbrachte ich viele Stunden in den Kellern und sah mir Fotos von Terroristen und Berufskillern an. Außerdem half ich bei der Erstellung eines Phantombildes des Blonden. Zum Schluß taten mir vom vielen Gucken die Augen weh.

Als ich alle Fotos gesehen hatte, wurde ich in das Büro des Beamten mit dem grüngelben Gesicht geführt. Sein Name war Frutos. Kommissaranwärter Antonio Frutos.

Er trug noch denselben Anzug wie bei unserem ersten Zusammentreffen, und rasiert hatte er sich auch noch nicht.

„Setz dich", forderte er mich auf. „Hast du den Mörder auf einem der Fotos wiedererkannt?"

„Nein. Im *Gavilán* war's ziemlich dunkel. Er hatte blondes Haar, nicht sehr lang, ein längliches Gesicht und Pockennarben", beschrieb ich den Mann zum x-ten Mal. „An mehr kann ich mich nicht erinnern. Was ist mit dem andern?"

Frutos stieß einen tiefen Seufzer aus.

„Du hast gute Arbeit geleistet. Sein Gesicht ist völlig zerfetzt. Wir haben die Fingerabdrücke an Interpol geschickt. Der Gerichtsmediziner meint, er könnte Südamerikaner sein. Ein Meter fünfundsiebzig, siebzig Kilo, jünger als dreißig, keine besonderen Kennzeichen. Nahm keine Drogen. Weder der Chauffeur noch der Inhaber vom *Gavilán* haben was ausgesagt, was uns weiterhelfen könnte. Die vom Erkennungsdienst haben nirgendwo Fingerabdrücke gefunden."

„Waren eben Profis, und dazu noch sehr gute."

„Ja."

„Solche Profis gibt's nicht häufig. Was ist los, versagen die V-Männer?"

„Bei Südamerikanern funktioniert das nicht. Die sind nur vorübergehend hier. Weißt du, wieviele davon in Spanien rumlaufen? Nein? Ich auch nicht. Die meisten kommen illegal über die Grenze, von Frankreich, Marokko, Portugal. Bleiben 'ne Weile hier und haun wieder ab. Deswegen klappt das mit unseren V-Männern nicht."

„Und was haben die Ermittlungen in Richtung Cazzo ergeben?"

Frutos grinste mich an. Sollte wohl ein Lächeln sein. Seine Zähne waren schief und schmutzig.

„Nichts. Niemand weiß, was er im *Gavilán* gemacht hat. Weder seine Frau noch der Chauffeur noch seine Freunde. Cazzo hat lediglich dem Chauffeur gesagt, er wolle da hin. Keine weiteren Erklärungen."

„Jedenfalls haben die Burschen auf ihn gewartet. Ich hatte den Eindruck, daß das Ganze ein Unfall war. Wenn sie beabsichtigt hätten, Cazzo umzulegen, wär der Club der letzte Ort gewesen, den sie sich ausgesucht hätten."

Wieder zeigte er mir seine bräunlichen Zähne.

„Kann schon sein. Aber an deiner Stelle wär ich lieber still. Nur keine Spekulationen!"

Er sprang plötzlich auf und ging im Büro hin und her. Er war jünger, als er aussah. War nur frühzeitig gealtert und hatte wahrscheinlich die Hoffnung auf eine Beförderung aufgegeben.

Er drehte sich zu mir um, die Hände in den Hosentaschen.

„Vor allem keine Erklärungen an Journalisten, Carpintero. Die da oben wollen, daß die Ermittlungen behutsam durchgeführt werden. Der Chauffeur und der Inhaber vom *Gavilán* haben sich ebenfalls zu äußerster Zurückhaltung verpflichtet. Der Mord an Cazzo ist ein gefundenes Fressen für die Presse." Er zögerte einen Moment. „Unsere offizielle Version unterscheidet sich etwas von der, die du kennst."

„Verstehe. Aber nenn mich Toni Romano. Das klingt vertrauter."

„Ich brauch dein Wort, daß du den Mund hältst."

„O.k. Bin nicht scharf drauf, irgend jemandem was zu erklären."

„Cazzo war ein einflußreicher Politiker, außerdem Geschäftsmann. Die Presse würde die abenteuerlichsten Vermutungen über seine Anwesenheit in einem Club wie dem *Gavilán* anstellen, und das will seine Familie natürlich vermeiden."

„Ich wünsche dir, daß du den Blonden findest und zum Kommissar befördert wirst. Ich jedenfalls werde dir keinen Stein in den Weg legen."

Er sah mich an, um zu ergründen, ob ich ihn verarschen wollte. Aber da ich nicht mit der Wimper zuckte, ging er wieder im Zimmer auf und ab. Dann setzte er sich auf seinen schmutzigen Bürostuhl und entließ mich. Ich ging hinaus.

Natürlich sagte ich niemandem, daß der Blonde, der Valeriano Cazzo erschossen hatte, schon mal im *La Luna de Medianoche* gesehen worden war. Das hätte mir nur Ärger eingebracht.

Tage später erhielt ich einen maschinengeschriebenen Brief von einer gewissen Clara Bustamante, Cazzos Witwe. Sie bedankte sich für mein „mutiges Handeln" und lud mich zum Begräbnis ihres Mannes ein. Ich ging nicht hin und versuchte, die ganze Geschichte zu vergessen. Die Zeitungen erinnerten mich noch eine Weile daran, obwohl ihre Berichte sich tatsächlich von dem unterschieden, was ich erlebt hatte.

Eine Woche, nachdem ich den Schrieb der Witwe erhalten hatte, kam Santos *El Calvo* zu mir nach Hause, und alles fing wieder von vorne an.

4

Santos *El Calvo* kannte ich seit meiner Zeit im Kommissariat, und schon damals war er mir alles andere als sympathisch gewesen. Immer schon hatte er eine Glatze gehabt, kein einziges Haar auf dem Kopf. Er sah aus wie ein Gewichtheber. Sein breites Gesicht mit den hohen Backenknochen und den dikken Lippen zuckte ständig, so als hätte er einen nervösen Tick. Er zog sich gerne elegante Klamotten an. An jenem Morgen trug er einen schwarzen Anzug mit Nadelstreifen und dazu eine rote Krawatte mit weißen Tupfen. Aus dem soliden Anzugstoff hätte man ein Feldzelt anfertigen können.

Nach endlosem Auf-die-Schulter-Klopfen und mehr oder weniger freundschaftlichem „Na?" ließ er seinen mächtigen Leib so auf die Bettcouch fallen, daß sie vor Überlastung verzweifelt aufstöhnte. Ich trank meinen Kaffee.

„Schön, schön, Toni", begann er dann. „Lange nicht gesehen, was?"

„Eine Ewigkeit, Santos."

„Wie ich sehe, hältst du dich immer noch fit. Und wie gehen die Geschäfte?"

„Kann nicht klagen."

Er warf einen Rundblick durchs Zimmer.

„Tatsächlich?"

„Nur die Tagelöhner auf meinem Landgut streiken grade. Sonst läuft alles prima."

„Seh ich."

Er seufzte und schlug die Beine übereinander. Aus der Innentasche seines Jacketts zog er ein goldenes Zigarettenetui, öffnete es und bot mir eine Zigarette an. Ich schüttelte den Kopf.

„Ich rauche lieber meine eigenen, Santos. Und jetzt sag mir endlich, warum du gekommen bist."

Wir zündeten unsere Zigaretten an. Santos räusperte sich.

„Also…" sagte er langsam, „ich hab Zeitung gelesen…"

„Ach ja?"

„… über diese Sache… Cazzo."

„Und was ist damit?"

„Nichts, nur daß er mein Freund war. Besser gesagt, ein Bekannter von mir."

„Und weiter?"

„Als ich las, daß du daran beteiligt warst, hab ich mir gesagt: ‚Mensch, mein alter Kollege Toni Romano! Immer noch in Form!'" Er machte eine Pause und schnippte Asche auf den Boden. „Du warst sehr gut, Toni. Schnell und sicher. Das im *Gavilán* war 'ne stramme Leistung!"

„Nein, stramm ist was anderes. Der Blonde ist mir durch die Lappen gegangen."

„Ja, hab ich gehört. Aber einen hast du jedenfalls erwischt."

„Das war Notwehr, Santos, und ich bin überhaupt nicht stolz darauf. Einen Menschen zu töten, ist nicht grade angenehm. Und wenn sich's um einen Berufskiller handelt, ist das 'ne ganz schöne Scheiße."

„Bedauerlich, daß du den Mord an Cazzo nicht verhindern konntest. Er war 'n prima Kerl. Kannte ihn nicht besonders gut, aber mir war er sympathisch. Ein Gentleman vom Scheitel bis zur Sohle."

„Das bezweifle ich nicht. Das *Gavilán* ist voll von solchen Gentlemen. Bist du gekommen, um mir das zu sagen?"

„Also, ich hab da so einige Fragen, die mir nicht aus dem Kopf gehen." Sein Gesicht zuckte wieder. Durchdringend sah er mich an. „Hattest du keine Gelegenheit, mit ihm zu reden?"

„Moment, Santos! Was meinst du damit?"

„Mann, du könntest doch mit ihm gesprochen haben, oder?"

„Nein."

„Mir wurde erzählt, daß du nach draußen gelaufen bist, aber der Blonde schien wie vom Erdboden verschluckt. Hast du wirklich niemanden gesehen?"

„Nein, ich hab niemanden gesehen."

Er strich sich über die Glatze.

„Mmh…" Er versuchte, eine nachdenkliche Pose einzunehmen, aber es gelang ihm nicht. „Seltsam…"

„Zur Sache, Santos: Was willst du?"

„Sei nicht so empfindlich. Ich möchte nur ein wenig mit dir plaudern."

„Worüber?"

Er rutschte unruhig hin und her.

„Cazzo war ein… sagen wir… sehr bedeutender Mann. Verstehst du? Du, der Chauffeur und dieser Baldomero, ihr habt ziemlich lange bei den Leichen gewartet… Weißt du wirklich nicht, wo sich der Mörder versteckt hat?"

„Nein."

„Hast du dich nicht gefragt, warum der Chauffeur ins *Gavilán* gekommen ist? Normalerweise bleiben Chauffeure im Wagen, oder?"

„Ich hab mich überhaupt nichts gefragt. Und auf den anderen hab ich geschossen, weil der auf mich geschossen hat. Das ist alles. Es interessiert mich nicht, was Cazzo oder sein Chauffeur im *Gavilán* wollten. Ist mir völlig egal."

„Hat Cazzo irgend etwas zu den beiden gesagt? Hat er einen Namen genannt? Versuch dich zu erinnern!"

„Alles, was ich weiß, hab ich vor dem Untersuchungsrichter ausgesagt, Santos. Warum dieses besondere Interesse?"

„Du hast bewiesen, daß du gute Arbeit leisten kannst. Warum kannst du dich nicht ebensogut erinnern? Das könnte den guten Eindruck noch verstärken."

„Und du würdest den besten Eindruck machen, wenn du mich in Ruhe meinen Kaffee trinken ließest. Hast du mir sonst noch was zu sagen?"

„Ich glaube, daß du der geeignete Mann bist, um uns einen Gefallen zu tun." Er beugte seinen mächtigen Oberkörper so weit vor, daß sich sein Kopf beinahe zwischen seinen Beinen befand. „Hör zu, ich hab dich vor einigen Freunden sehr gelobt. Wir möchten, daß du uns hilfst, einige ungeklärte Fragen zu beantworten."

„Nein."

„Diese Fragen stellen sich sehr einflußreiche Freunde von mir, Toni. Und sie würden für die Antworten gut zahlen."

„Nein."

„Hör mal, Toni…"

„Nein, Santos."

„Sei kein Idiot! 'n Haufen Geld, Toni…" Er rieb Zeigefinger und Daumen aneinander. „Gutes Geld."

Es war noch Kaffee in der Kanne. Ich goß ihn in meine Tasse und trank. Der Kaffee war kalt. Santos hatte mir den Morgen versaut. Ich warf meine brennende Kippe in den kalten Kaffee.

„Ich will mit der Sache nichts zu tun haben. Trotzdem vielen Dank für den Vorschlag."

„Wo ist der Chauffeur?"

Seine Augen funkelten nervös.

„Woher soll ich das wissen?" fragte ich zurück.

Seufzend setzte sich Santos auf die andere Arschbacke. Die Sprungfedern stöhnten wieder auf.

„Hast du ihn denn nicht mehr gesehen?" fragte er ungläubig.

„Hör mal, Santos! Warum sollte ich den Chauffeur wiedersehen? Geh zur Polizei, da kannst du alles erfahren. Ich weiß nicht mehr als die Polizei."

„Die Polizei." Er lächelte. „Mit der will ich nichts zu tun haben. Das ist eine vertrauliche Privatangelegenheit."

„Wie gesagt, sie interessiert mich nicht."

„An deiner Stelle würde ich auch nichts sagen, Toni. Aber ich biete dir Geld dafür an, daß du dein Gedächtnis etwas auffrischst. Niemand wird davon erfahren. Sieh's als Job an!"

„Ich will den Job nicht. Um mich noch klarer auszudrücken: Weder für dich noch für einen deiner Freunde würde ich arbeiten, auch wenn's der einzige Job auf der Welt wär, den ich kriegen könnte!"

Er sah mir ins Gesicht. Die Kippe verbrannte ihm die Finger. Er warf sie auf den Boden und trat sie mit seinem spitzen schwarzen Schuh, Marke Martinelli, Kostenpunkt fünftausend Pesetas, aus.

„Du redest Klartext."

„Hab die ganze Zeit über nichts anderes versucht, Santos."

„Also schön, Toni. Aber vielleicht bereust du's noch."

„Hast du sonst nichts zu tun?"

Wie von der Tarantel gestochen, sprang er auf. Ich rührte mich nicht. Sein Gesicht zuckte noch heftiger als gewöhnlich. Schließlich ging er zur Tür, öffnete sie und schloß sie leise hinter sich. Er schenkte mir weder ein Wort noch einen Blick.

Ich blieb noch eine Weile so sitzen. Dann stand ich auf und kochte mir neuen Kaffee, um den Morgen noch mal von vorne zu beginnen. Vergeblich; auch die *Flor de Cano*, die ich rauchte, konnte das Bild von Santos *El Calvo* nicht verscheuchen.

Am nächsten Tag drang die brüchige Stimme von Kommissaranwärter Frutos durchs Telefon an mein Ohr. Es war acht Uhr abends, und ich hatte zu tun.

„Hier Frutos", bellte er. „Kannst du in mein Büro kommen? Ich will dir was zeigen. Wird dir gefallen."

„Ich muß meine Brötchen verdienen", antwortete ich. „Schließlich bin ich nicht mehr bei der Polizei."

„Nur ganz kurz", sagte er und legte auf.

Also mußte ich wohl oder übel die Calle de Esparteros überqueren, über die Plaza Pontejos gehen und von der Calle Correo aus wieder das Polizeigebäude betreten.

Ein bärtiger Beamter, der aussah wie ein Penner, brachte mich zu Frutos' Büro. Ich klopfte an die Glasscheibe, und seine Stimme brüllte „Herein!"

Er trug diesmal einen anderen Anzug, der aber genauso abgewetzt war wie der, den ich schon kannte. Außerdem hätte er sich dringend Bart und Haare schneiden lassen müssen, und zwar nicht von dem Hausfrisör der Polizei.

Zur Begrüßung stand Frutos nicht auf, wies nur auf den Stuhl vor seinem Schreibtisch. Ich setzte mich. Er rauchte eine von seinen Selbstgedrehten. Die Asche fiel auf seinen Bauch und auf die abgenutzte Tischplatte, was ihn nicht weiter zu stören schien.

„Sieh dir das an.“

Er reichte mir vier Fotos über den Tisch. Sie stammten vom Erkennungsdienst und zeigten aus verschiedenen Blickwinkeln ein Stück Straße und einen Körper, der auf dem Pflaster lag.

„Erkennst du ihn?“

„Den würde nicht mal seine Mutter wiedererkennen. Wer ist es?“

„Baldomero Silva, der Inhaber des Clubs *El Gavilán*. Ist vom Balkon seiner Wohnung gesprungen. Er wohnte im neunten Stock. Morgen kannst du's in der Zeitung lesen.“

Ich legte die Fotos auf den Tisch.

„Wann?“

„Heute mittag, nach dem Essen. Hab's mir selbst angesehen. In der Wohnung keinerlei Spuren von Kampf oder so. Anscheinend hat er sich aus Verzweiflung über die Schließung seines Lokals vom Balkon gestürzt.“

„Warum hast du mich angerufen?“

„Er war dein Freund.“

„Ich hab hin und wieder in seinem Club ein Bier getrunken, das machte uns noch nicht zu Freunden. Also, was ist passiert?“

„Baldomero war ein armer Teufel, lebte von Huren, die ab und zu bei ihm an der Theke standen. Aber sogar zum richtigen Zuhälter taugte er nicht. Die Nutten haben ihm wohl mehr Kohle aus der Tasche gezogen, als er an ihnen verdiente. Er war so gut wie pleite. Daß sein Bumslokal dichtgemacht wurde, hat ihm den Rest gegeben. Er war labil, depressiv, hat sich in seinen Aussagen bei dem Fall Cazzo häufig widersprochen. Kein Wunder, daß sein Tod als Selbstmord zu den Akten gelegt wird. Er hatte weder Familie noch Freunde."

Schweigend sah Frutos zur Decke. Wieder fiel Asche auf sein Hemd.

„Außerdem wollte ich dir sagen, daß wir inzwischen mehr über den Jungen wissen, den du erschossen hast. Interpol hat uns eine vollständige Personenbeschreibung geliefert. Er hieß Rogelio Cruz alias *El Dedos*. Hat sich auch noch anders genannt, zum Beispiel Francis Delacroix. Er war Kubaner, neunundzwanzig Jahre. Vor zwei Jahren wurde er in Brüssel wegen Erpressung verhaftet. Hier ist sein Foto."

Ich erkannte das glatt nach hinten gekämmte Haar. Im übrigen hatte er ein Durchschnittsgesicht, eine große Nase und einen zynischen Blick. Ich gab Frutos das Foto zurück.

„Kennst du ihn?"

„Nein."

„Wir haben uns an den Orten umgesehen, an denen sich Südamerikaner rumtreiben. Auch alle billigen Pensionen und Absteigen sind durchkämmt worden. Aber wir sind genauso schlau wie vorher."

„Und der Blonde?"

Frutos schüttelte den Kopf.

„Nichts. Hast du nichts rausgekriegt?"

„Sollte ich?"

„Ich mag keine Witze. Ich bin Galicier."

„Du hast mich angerufen, und ich bin gekommen. Hab mir angehört, was du mir sagen wolltest. Soll ich jetzt auch noch für Baldomeros Beerdigung sammeln?"

„Jetzt kapier ich, warum du so wenige Freunde bei uns hast. Die halbe Mordkommission glaubt, daß du lügst. Und die andere Hälfte haßt dich so sehr, daß es auf das gleiche rauskommt. Wenn du nur einen Schritt daneben machst, nehmen wir dir den Waffenschein weg. Dann kannst du als Parkplatzwächter arbeiten."

„Frutos, gestern ist ein ehemaliger Polizist bei mir gewesen, ein gewisser Santos. Muß so dein Jahrgang sein. Ich weiß, daß er jetzt bei einer großen Firma in der Sicherheitsabteilung arbeitet. Wo genau, weiß ich nicht. Kennst du ihn?"

„Santos..." murmelte Frutos. „Ja, den kenn ich. Was wollte er bei dir?"

Er wußte es, obwohl er sehr gut schauspielerte. Er war ein alter Polizistenhase. Ich aber auch.

„Mir guten Tag sagen."

„Ach!"

„Hören wir auf, Versteck zu spielen, Frutos. Du hast mich angerufen, weil du weißt, daß Santos mich besucht hat. Du würdest mich nicht ranpfeifen, nur um mir Fotos zu zeigen."

Er trommelte mit einem stumpfen Bleistift auf die Tischplatte.

„Also gut, o.k. Ich weiß, daß Santos bei dir war. Was wollte er von dir?"

„Erstaunlich, wie schnell sich Nachrichten verbreiten. Hast du Santos geschickt, oder arbeitet ihr für denselben Boß?"

„Vorsicht! Ich hab dir gesagt, daß ich für Witze nicht zu haben bin." Seine Augen verengten sich zu Schlitzen. „Du weißt mehr, als du zugeben willst."

„Möglicherweise läßt du mich auch überwachen... Läßt du mich überwachen, Frutos?"

„Hör auf mit dem Blödsinn und antworte auf meine Fragen, Antonio Carpintero!"

„Nenn mich Toni Romano, und ich antworte dir mit Vergnügen. Wir wollen doch, daß du Kommissar wirst!"

„Spiel nicht den Klugscheißer." Er richtete sich in seinem Bürosessel auf. „Was hat Santos dir erzählt?"

„Nichts Besonderes. Hat mir angeboten, für Geld mein Gedächtnis aufzufrischen."

„Hat er dir nichts über Zacarías Sánchez erzählt, den Chauffeur?"

„Schien sehr an ihm interessiert. Was ist mit dem Chauffeur?"

„Einer von Cazzos Freunden hat uns was sehr Wichtiges

39

mitgeteilt. Ein hohes Tier, dieser Freund, sehr einflußreich. War nicht in Madrid, als Cazzo umgebracht wurde."

„Hat der Chauffeur was mit dem Mord zu tun?"

„Nach dem, was Cazzos Freund uns erzählt hat, ja. Aber wir wissen nicht, wo er ist. Cazzos Witwe hat ihn entlassen, und zu Hause ist er auch nicht. Auch in seinen Stammcafés läßt er sich nicht blicken."

„Und was hab ich damit zu tun?"

„Toni, du hast viele Feinde bei der Kripo, das weißt du. Die meisten glauben, daß du bei deiner Aussage gelogen hast, obwohl wir's dir nicht beweisen können. Sie stimmt mit den Aussagen von Sánchez und Baldomero überein. Aber nach dem, was jetzt mit Baldomero passiert ist... und dann die Aussage von Cazzos Freund... Der Fall wird immer verwikkelter, kapierst du? Wir sind davon überzeugt, daß der Chauffeur eine Schlüsselfigur bei dem Mord ist. Ich versteh sehr gut, daß du dich da raushalten willst. Hab ich dir ja selbst empfohlen. Aber jetzt liegen die Dinge anders. Wir haben 'ne heiße Spur, die wir nicht sausenlassen können. Ich verspreche dir, wenn du mit uns zusammenarbeitest, werde ich mich persönlich dafür einsetzen, daß du wieder eingestellt wirst. Wir können alle nur gewinnen, wenn der Fall geklärt wird."

„Chinesisch versteh ich nicht, Frutos. Hab seit dem Abitur alles vergessen. Versuch's jetzt doch mal mit Spanisch."

„Vielleicht hast du uns was verschwiegen, Toni. Ich mach dir keinen Vorwurf. Sag's mir, und keiner wird's erfahren, das versprech ich dir... Was hat der Chauffeur bei Cazzos Leiche gemacht? Wir wissen, daß er etwas weggenommen hat. Sag's mir, Toni!"

Ich stand auf.

„Ihr seid verrückt, Santos und du. Ich hab alles ausgesagt, was ich gesehen habe. Und ruf mich bitte nicht mehr an, Frutos."

Ich ging zur Tür, öffnete sie und schloß sie hinter mir wieder. Frutos sah mir mit haßerfülltem Blick nach.

5

Ich weiß nicht, ob Sie mein Viertel am Vormittag kennen, wenn die Frauen einkaufen gehen, die Penner sich entschließen, den Tag unter den Arkaden der Plaza Mayor zu verbringen, und die Straßenhändler sich unter die Schüler mischen, die den Unterricht schwänzen. Am Vormittag ist mein Viertel fröhlicher, lärmerfüllt, ganz anders als nachmittags und abends. Wenn Sie nicht in einem Viertel wie meinem wohnen, wissen Sie nicht, wovon ich rede. Im Frühling, wenn's weder kalt noch heiß ist, kann man ziellos umherschlendern. Das ist das einzige Privileg der Armen in Madrid.

An jenem Morgen ging ich nicht ziellos spazieren, sondern war auf der Suche nach jemandem, der mir sagen konnte, wo der Blonde zu finden war. Dieser Jemand war zum Beispiel Ricardo, der Kellner im Café *La Joya*, König der Tintenfisch-Sandwiches.

Ich ging die Calle Postas hinauf bis zum Café. Zu dieser frühen Stunde war es fast leer. Ricardo spülte Gläser. Sein Gesicht war so blaß wie immer.

„Wie geht's, Toni?" fragte er, als er mich reinkommen sah. „Was möchtest du trinken?"

Ich stützte mich auf die Zinkblechtheke.

„Einen *café solo*."

Er stellte ihn hin, und ich trank ihn in einem Zug aus. Dann zündete ich mir eine *Flor de Cano* an und sagte:

„Hör mal, Ricardo, ich suche einen Blonden mit Pockennarben im Gesicht. Er ist Kubaner und kann hervorragend mit seiner Pistole umgehen. Weißt du, wo ich ihn finden kann?"

Der Kellner sah mich an.

„Kubaner?"

„Ich glaub, ja. Als ich ihn das letzte Mal sah, war ein Freund bei ihm, groß, etwa fünfzig Jahre, mit onduliertem Haar. Außerdem war noch ein Akkordeonspieler dabei, ein gewisser Zazá Gabor. Und eine Mulattin, die sie ‚Kolumbianerin‘ nannten. Wenn du mir 'n Tip geben könntest, wär ich dir sehr dankbar."

Ricardo dachte einen Augenblick nach.

„Diesen Zazá Gabor kenn ich. Alt, dünn, stimmt's?"

„Genau."

„Sein Bruder, der *Rey Mago*, weiß vielleicht, wo er wohnt."

„*Rey Mago* ist sein Bruder?"

„Hab ich gehört."

Ich stieß den Rauch in die Luft. An *Rey Mago* konnte ich mich erinnern. Er war mal wegen Päderastie angezeigt worden. Der Junge hatte ihn bei seinem Vater angeschwärzt, und der hatte Anzeige erstattet. Als er von unseren Leuten durchgeprügelt worden war, hatte ich den Kopf in den Sand gesteckt. Wir mußten ihn dann wieder laufenlassen. Weil wir ihm nichts nachweisen konnten.

Ich bedankte mich bei Ricardo, zahlte und ging.

Auf der Plaza Mayor lief ich dem verrückten Vergara über den Weg. Vergara trägt immer ein schmutziges blaues Hemd mit Medaillen auf der Brust. Er stand mit hochgerecktem Arm vor dem Denkmal von Felipe III. und sang *Cara al Sol*. Als er mich sah, brüllte er mir zu:

„Zu Befehl, Kommandant!"

„Rühren, Korporal! Wie sieht's aus, Vergara?"

„Keine besonderen Vorkommnisse, Kommandant!" Sein fiebriger Blick wanderte über den Platz. „Alles voll von Kommunisten!" flüsterte er mir ins Ohr.

„Nur keine Panik, Vergara."

„Haben Sie 'ne Zigarre für mich, Kommandant?"

Ich gab ihm die letzte *Flor de Cano*, die ich mir eigentlich für den Aperitif aufbewahrt hatte. Er biß die Spitze ab, zündete sich die Zigarre an und klopfte mir auf die Schulter.

„Ausgezeichnet, Kommandant! Wenn Sie wollen, schlagen wir zusammen die Kommunisten tot. Die sind überall, aber ich paß auf."

„O.k., Vergara, ein andermal. Weißt du, wo ich den *Rey Mago* finden kann?"

„Diese Schwuchtel?"

„Ich will mit ihm reden."

Der verrückte Vergara dachte nach.

„Hat einen Kleiderladen, da drüben in der Cava Alta." Er kam mit seinem ausgemergelten, unrasierten Gesicht ganz nah an meins und zischte: „Alles voller Kommunisten, Kommandant. Die sind jetzt überall. Bald gibt's wieder 'ne *Cruzada*."

„Dann sag mir Bescheid, Vergara."

„Es gibt keine richtigen Männer mehr, Kommandant! Früher sind alle Kommunisten erschlagen worden... und jetzt..."

„Nun werd nicht gleich so traurig, Vergara."

„Nein, aber früher... früher war das anders!"

„O.k., Mann!"

„Danke für die Zigarre, Kommandant!"

Ich ließ ihn vor der Statue *Cara al Sol* weitersingen und schlenderte die Calle Toledo entlang. Um mich herum gingen Leute ohne Eile ihren Geschäften nach.

Ich bog in die Calle de la Cava Alta ein. Vor der Nr. 4 blieb ich stehen. *Rey Mago* hatte hier einen Second-hand-shop in der dritten Etage, Wohnung A. So stand es jedenfalls auf einem schmutzigweißen Zettel am Türrahmen. Die ausgetretenen Holzstufen ächzten unter meinem Gewicht. Zwei Frauen betraten mit mir das „Ladenlokal".

Rey Mago rieb sich lächelnd die Hände. Hatte sich in den letzten sieben Jahren zu seinem Nachteil verändert. Er stand im Flur der Wohnung, umgeben von allen möglichen Kleidern in allen möglichen Farben. *Rey Mago* sah aus wie 'ne Vogelscheuche in einem seltsamen Feld von Kleidungsstücken. Früher war er schon dünn gewesen, aber jetzt hatte er weniger Fleisch auf den Rippen als ein Rennrad.

Er würdigte die beiden Frauen keines Blickes und streckte mir seine lange, dürre Nase entgegen.

„Hat der Herr einen Wunsch?"

„Ich will mit dir reden, *Rey Mago*. Gehen wir woandershin."

„Was? Wie meinen?"

„Ich will mit dir reden!"

Er wollte lachen, brachte es aber nicht fertig.

„Wünscht der Herr etwas Spezielles?"

Dieser Mensch gehörte zu denen, die einen Bullen von weitem riechen. Vermutlich hatte ich noch einen Restgeruch aus meiner Zeit als Polizist an mir.

„Laß den Scheiß, *Rey Mago*. Wir kennen uns. Du bist also jetzt Altkleiderhändler, was?"

Er starrte mich ängstlich an, versuchte sich zu erinnern, wer ich war. Seine Augen bewegten sich unruhig wie zwei Küchenschaben.

„Jawohl, Señor, dieses kleine Geschäft gehört mir... Womit kann ich Ihnen dienen?"

„Hast du kein Büro? Na ja, egal, hier geht's auch. Wo ist dein Bruder, Zazá Gabor?"

„Wer sind Sie?"

„Erinnerst du dich nicht an mich?"

Die Frauen taten so, als würden sie sich die Klamotten ansehen.

„Nein... Ich weiß nicht..."

„Kommissariat", half ich ihm auf die Sprünge.

Sein hageres Hundegesicht erstarrte.

„Ich... Ich hab nichts getan", stammelte er.

„Wo ist dein Bruder?"

„Ich schwör's Ihnen, Herr Inspektor! Ich weiß nicht, wo er wohnt. Wir reden nicht miteinander." Er senkte die Stimme. „Wir haben uns verzankt... Aber kommen Sie doch..." Er machte mir ein Zeichen, ihm ins Hinterzimmer zu folgen. Es war ein kleiner Raum, von einer Neonröhre beleuchtet, mit einem Klapptisch, zwei Stühlen, einem Fernseher und einer

Anrichte mit allem möglichen Kram. Auf einem der Stühle saß ein unglaublich dickes Mädchen von etwa elf Jahren und löffelte *natillas*. Als wir eintraten, hob es nicht mal sein fettes Mondgesicht.

„Verschwinde!" befahl der Alte.

Das Kind nahm den Teller und wackelte hinaus, ohne sich umzublicken.

„Meine Nichte", erklärte *Rey Mago* verlegen. „Sie ist für ein paar Tage bei mir... Aber setzen Sie sich doch, Herr Inspektor. Möchten Sie Anzugstoff kaufen? Echten *Tamburini*..."

„Laß mich mit deinem Stoff zufrieden, ich hab's eilig. Von wegen ‚Nichte', was?"

„Aber..."

Ich ging auf ihn zu. Er stank nach Urin. Ängstlich wich er zurück.

„Ich kenn dich doch, *Rey Mago*! Hör auf zu lügen, sonst schlag ich dir die Nase ein."

„Das ist meine Nichte, ich schwör's!"

„Du widerliches Schwein!"

Ich packte ihn im Nacken und hob die Faust.

„Tun Sie mir nichts, Herr Inspektor!"

„Wo ist dein Bruder? Ich frag dich zum letzten Mal!"

„Ich weiß nicht, wo er wohnt, ich schwör's Ihnen! Aber... ich glaub, er spielt im *El Danubio*..." Erschreckt schlug er die Hand vor den Mund. „Aber sagen Sie ihm bitte nicht, daß ich's Ihnen gesagt habe. Er ist ein ganz gemeiner Kerl."

Ich ließ ihn los und wischte mir die Hände an meiner Hose ab.

„Sehr schön. Im *Danubio* also?"

„Ja, Herr Inspektor." Er verzog das Gesicht. Jetzt sah er wie 'ne Küchenschabe aus. „Möchten Sie jetzt vielleicht ein Stöffchen kaufen? Ich schenk's Ihnen", fügte er noch hinzu.

Das Café *El Danubio* befindet sich am Ende der Calle Cádiz, Ecke Calle Espoz y Mina. Es ist ein sehr großes Lokal in Form eines L. Gegenüber der Eingangstür befindet sich ein kleines Holzpodium für den Akkordeonspieler. In dem hinteren Teil stehen fünf, sechs Tische mit rot-blau-karierten Dekken. Das nennt sich „Eßsaal".

Früher bin ich oft dort gewesen. Es ist ein kühles, ruhiges und sauberes Lokal, wo man für zweihundert Pesetas essen kann. Aber seitdem ich in der Diskothek arbeite, habe ich es nicht mehr betreten.

Ich stellte mich an die Theke. Ein kräftiger Bursche mit rotem Gesicht – Antonio, der Neffe des Chefs – kam zu mir und wischte mit einem Lappen über die Theke. Um diese Uhrzeit war der Laden halbleer. Am anderen Ende der Theke standen zwei Typen, die wie Arbeitslose aussahen, und tranken *Valdepenas*. Neben der Holzbühne saß eine Frau mit einem grauen Wollschal bei einem Bier und Auberginen aus Almagro.

„Hallo, Toni!" begrüßte mich Antonio. „Lange nicht gesehn. Wie geht's dir?"

„Geht so. Gib mir einen *Moriles*."

Er stellte mir ein Glas Wein hin. Ich nahm einen Schluck.

„Wann kommt der Akkordeonspieler?" fragte ich.

„Der Zazá Gabor?"

„Genau der."

Antonio sah auf seine Uhr.

„In 'ner Dreiviertelstunde. Möchtest du was essen? Ich reservier dir 'n Tisch."

„Tu das."

„Weißt du, die Leute von der Bank kommen hierher."

Er strich sich über die Falten seines fetten Doppelkinns und fügte hinzu:

„Du schuldest uns noch dreitausendvierhundert, Toni."

„Wofür?"

„Na ja, der Boleros hat mir gesagt, ich soll's auf deine Rechnung schreiben... ihr wärt Freunde."

„Der Boleros? Ist der denn wieder aus dem Knast raus?"

„Sieht so aus. War vor ein paar Monaten hier... letzten Winter."

„Ach nee!"

„Hat oft hier gegessen. Würde auf dich warten, hat er gesagt. Und ich hab's ihm geglaubt, weil ihr doch Freunde seid."

„Ist schon in Ordnung."

„Wenn du nicht aufgetaucht wärst…"

„Irgendwann tauche ich immer auf, Antonio."

„Noch einen *Moriles*?"

„Gerne. Und für dich auch einen."

Er stellte ein Glas dazu, füllte beide, und wir tranken.

„Kommt der Zazá jeden Tag?"

„Jeden nicht. Wenn er keinen Hunger hat, kommt er nicht. Er kriegt ein Essen fürs Spielen." Antonio seufzte. „Der Kerl tut mir leid."

So langsam füllte sich das Restaurant mit Stammgästen aus der Nachbarschaft, die einen Aperitif tranken oder essen wollten. Als ich sah, daß der Alte mit dem Akkordeon nicht kam, setzte ich mich zum Essen an den reservierten Tisch. Es gab geschmorte Kartoffeln mit Rippchen, die wirklich gut waren, Schweinekotelett mit Salat und zum Nachtisch eine Apfelsine. Zusammen mit einer halben Flasche *Valdepenas* erhöhte das meine „Schulden" um zweihundertfünfzig Pesetas. Ich trank noch einen Kaffee und rauchte eine *Faria* an der Theke. Nach einer Weile hatte ich keine Lust mehr, auf diesen Zazá Gabor zu warten, und verlangte die Rechnung. Ich zahlte die Schulden vom Boleros, mein Essen, die Getränke und legte noch hundert Pesetas Trinkgeld drauf. Antonio bedankte sich überschwenglich.

„Soll ich dem Zazá was von dir ausrichten, wenn er kommt?"

„Nein, laß nur. Ich möchte ihn überraschen. Weißt du, wo er wohnt?"

„Keine Ahnung. Der redet weniger als 'n Schaukelpferd. Kommt, spielt, ißt und verduftet. Aber wenn ich was rauskriege, ruf ich dich an."

„Nein", sagte ich schnell. „Ich ruf lieber dich an, heute abend noch. Hör dich mal um."

„Werd meinen Onkel fragen."

Er bedankte sich zum x-ten Mal. Ich ging nach Hause, um ein Mittagsschläfchen zu halten. Danach wollte ich in den *Club Melodías* gehen. Dort arbeitete der Boleros, wenn er nicht gerade im Gefängnis saß.

6

Am späten Nachmittag fuhr ich mit der Metro bis zur Station La Latina. Zusammen mit einem Rudel von Leuten, die müde und schlechtgelaunt nach Hause gingen, stieg ich an die Oberfläche. Ich bog um die Ecke. Im Theater wurde eine Revue mit Sara Montiel gegeben. Der *Club Melodías* befand sich gleich nebenan.

Über dem Eingang leuchtete das Programm wie eine Krone aus Sternchen, von denen die Hälfte nicht leuchteten. Darüber blinkte in Intervallen der Name des Clubs auf. Drei Buchstaben waren kaputt.

Das Lokal sah noch trostloser aus. Es glich eher dem Foyer eines Vorstadtkinos als einem Nachtklub. Ich schwang mich auf einen der Hocker an der leeren Theke und wartete darauf, daß der einzige Kellner sich zu Ende gekämmt hatte. Er pustete die Haare aus dem Kamm und stützte sich auf die Theke.

„Was möchten Sie?" fragte er mürrisch.

„Gin-Tonic."

Die Damen des Hauses saßen an einem Tisch in der Ecke und quatschten. Für jeden Geschmack war was dabei, in jedem Alter, mit Schwerpunkt auf den Jahrgängen, die schon unter General Prim gedient hatten. Es waren fünf, dazu die Toilettenfrau, die sich durch ihren weißen Kittel von den andern unterschied. Die Tische waren wahllos um die Tanzfläche verteilt. Der schummrige Saal war groß und länglich. Rot herrschte als Farbton vor. Ein paar Männer überlegten sich, ob es sich lohnte, sich zu erheben und zu den Frauen zu gehen. Aus altersschwachen Lautsprechern klang schwüle Musik.

Der Kellner stellte mir meinen Gin-Tonic hin. Er sah mich an, als wollte er mich fragen, wie ich auf die Schnapsidee verfallen war, hier hereinzukommen.

„Arbeitet hier ein Mann namens Boleros?" fragte ich ihn.

„Ja. Was wollen Sie von ihm?"

„Mit ihm reden. Er ist ein Freund von mir."

„Sie waren noch nie hier, stimmt's?"

„Nein, noch nie."

„Wollen Sie 'ne Frau?"

„Wie kommen Sie darauf, daß ich 'ne Frau suche? Ich hab nach dem Boleros gefragt."

Der Kellner zuckte die Achseln und musterte mich.

„Er ist bei den Séparées. Wird gleich kommen. Hat er Sie hierher bestellt?"

„Nein."

„Später ist hier mehr Betrieb, so gegen zwölf."

„Ach ja? Schön."

„Früher hieß es *Club Rapsodia*. Haben Sie's gekannt?"

„Nein."

„Ich hab als ‚Mädchen für alles' angefangen, und jetzt bin ich Geschäftsführer." Er seufzte. „Früher hat's mir besser gefallen. Da spielte noch 'ne Kapelle, und du konntest dich gar nicht retten vor den Weibern. Erinnern Sie sich nicht?"

„Nein."

„Aber Sie in Ihrem Alter müßten das doch noch gekannt haben! War 'n Begriff in ganz Madrid."

Ich hob mein Glas und trank auf seine Gesundheit. Dann stieg ich vom Barhocker und ging zu den Séparées, die von dem Tanzsaal durch einen – natürlich roten – Vorhang getrennt waren. Ebenfalls rot waren die kleinen Vorhänge, die die einzelnen Nischen voneinander trennten, und die halbrunden Sofas. Der Raumgestalter war wohl ein phantasievoller Typ mit Initiative.

Boleros stand vor der einzigen besetzten Nische und schrieb etwas auf einen Block. Sein weißes Jackett war nicht ganz sauber, und die Hose sah aus, als hätte er darin geschlafen.

Er war klein und schmächtig. Obwohl er so alt war wie ich, hatte er noch ein naives Jungengesicht, was durch seine komische Elvis-Frisur noch betont wurde. Er bewegte sich schnell und präzise, was ihn zu einem der besten Einbrecher von Madrid machte, einer Spezies, die allmählich ausstirbt. Boleros stammte aus einer vergangenen Zeit, in der die Leute noch geschickt und schmerzlos ausgeraubt wurden. Heutzutage herrscht in dieser Branche dreiste Dummheit und Brutalität.

Vor einigen Jahren hatte ich ihn zufällig geschnappt, als er einem feinen Herrn an der Metrostation Atocha die Brieftasche klaute. Ich konnte ihn nur mit Mühe fassen. Blitzschnell rannte er davon und verschwand in der Menschenmenge. Als ich ihn endlich am Kragen hatte, sah ich, daß es sich nicht um einen jungen Täter handelte. Er kriegte nicht viel. Zwei Jahre, glaub ich. Und als er abgeführt wurde, schwor er, mich umzubringen. Da mir das schon so viele Verbrecher geschworen hatten, nahm ich ihn nicht ernst. Aber damals kannte ich den Boleros noch nicht!

Nachdem er seine Zeit abgesessen hatte, war das erste, was er tat, sich mit einem achtzehn Zentimeter langen Messer vor meiner Haustür zu postieren. Er stürzte sich auf mich, um mir die Kehle durchzuschneiden, und fast hätte er's sogar geschafft. Seitdem habe ich eine Narbe am Hals, weshalb sich die Leute im Schwimmbad nach mir umdrehen. Diesmal war es noch schwieriger, ihn zu fangen. Aber ich zeigte ihn nicht bei der Polizei an und ließ ihn laufen. Kurz darauf besuchte er mich, und wir wurden Freunde. Wenn ich weiß, daß er im Knast sitzt, schicke ich ihm Lebensmittel und Zigaretten.

„Hallo, Boleros!" begrüßte ich ihn.

„Toni, altes Haus!" rief er.

Wir klopften uns auf die Schulter.

„Schön, dich zu sehen, Mann! Wollte die ganze Zeit schon mal vorbeigekommen sein, aber du siehst ja, dieser Scheißjob frißt mich auf."

„Siehst aber gut aus. Seit wann bist du wieder raus?"

„Am zwanzigsten sind's sechs Monate."

„Weshalb warst du diesmal drin?"

„Mann!... Wegen nichts." Er grinste mich an. „Haben mich in dem Käseladen geschnappt, in der Calle San Cristobal. Zusammen mit so'm Stümper, so'm Scheiß-Drogenfreak. Du weißt ja, es gibt keine anständigen Profis mehr... Also, ich knack das Schloß, und wir rein, als wär'n wir da zu Hause, ganz prima, wie das so meine Art ist, du kennst mich ja. Und plötzlich fängt der Typ an zu schrein, ob ich noch ganz dicht wär, hier wär ja nix zu holen, null! Ich hatte nicht gemerkt, daß er Stoff brauchte! Ich hau ihm also was um die Ohren, aber da kommen schon die Inhaber angerannt, Doña Elena und Miguel, ihr Mann... Ja ja, hab drei Jahre gekriegt, jetzt bin ich auf Bewährung draußen. Die Zustände im Knast kannst du dir gar nicht vorstellen! Der letzte Scheiß! Na ja... Und, was machst du so?"

„Ich brauch deine Hilfe."

„Worum geht's?"

„Ich such 'n paar Leute."

„Wen denn?"

„Du kennst doch in Madrid alle Frauen, Boleros. Da wirst du doch auch die Kolumbianerin kennen, oder? Hört auch auf den Namen Emilia. Kennst du sie?"

„Groß und viel Brust?" Er machte anschauliche Handbewegungen. „Breite Hüften?"

„Ja, sieht aus wie 'ne Mulattin."

Boleros zeigte seine Mäusezähnchen.

„Ja, das ist die Kolumbianerin. Wird auch ‚die Schwarze' genannt."

„Ich such zwar noch jemand anders, aber wenn du mir die Adresse der Mulattin geben könntest, wär ich dir schon sehr dankbar."

„Du hast keinen schlechten Geschmack, Toni! Aber wir haben hier noch 'ne andere, die ist auch erste Sahne. Warte, ich zeig sie dir."

„Ich such im Augenblick keine Frau, Boleros. Schreib jetzt deine Bestellung zu Ende, ich warte an der Bar auf dich."

Wir klopften uns wieder freundschaftlich auf die Schultern, dann ging ich zurück an die Theke. Der Geschäftsführer redete gerade mit einem schmächtigen Mann mit Glatze und Nadelstreifenanzug. Die Frauen saßen immer noch an ihrem Tisch und quatschten. Wenig später kam mein Freund Boleros.

„Eine Flasche Champagner für die 3, Roberto", sagte er zu seinem Kollegen. „Die gehen ja mächtig ran... Komm sofort wieder, Toni."

Er verschwand mit dem Champagner und zwei Gläsern hinter dem roten Vorhang. Ich nahm einen kleinen Schluck Gin-Tonic und ging mit meinem Glas an einen Tisch. Boleros kam zurück und setzte sich zu mir.

„Lang halt ich's hier nicht mehr aus", flüsterte er mir zu. „Dieser Roberto ist ein Arschloch... Was willst du wissen, Toni?"

„Eigentlich suche ich die Freunde der Kolumbianerin Emilia oder wie die heißt. Einer ist groß und kräftig, so um die fünfzig, onduliertes Haar. Als ich ihn das letzte Mal sah, trug er einen Zweireiher. Und da ist noch ein Jüngerer, blond, mit Pockennarben im Gesicht. Sehen alle wie Südamerikaner aus. Kennst du die?"

Boleros erbleichte bis an die Haarwurzeln und sah mich an, als hätte ich ihm soeben mitgeteilt, er sei zum Mitglied der *Real Academia* ernannt worden.

„Was hast du mit diesen Leuten zu tun? Hör mal, Toni, reiß mich nicht in irgendwelche Geschichten rein!"

„Was ist mit denen?"

„Wenn du die meinst, die immer mit der Kolumbianerin rumziehen, dann vergiß es. Such dir lieber 'ne andere Puppe."

„Ich suche keine Puppe! Mich interessiert nur, wo ich die beiden Typen finden kann. Hab sie zusammen mit dieser Emilia gesehen... und mit einem alten Knacker, Zazá Gabor, einem Akkordeonspieler. Mit dem konnte ich noch nicht sprechen, hab ihn aber schon aufgetrieben. Und jetzt sag mir, wo ich die andern beiden erwische. Stell dich nicht dumm,

Boleros! Du weißt doch über alles Bescheid, was in Madrid passiert."

„Ich war drei Jahre im Bau, Toni. In Madrid hat sich einiges geändert. Die Latinos beherrschen jetzt die Szene, sie haben das Sagen."

Er sah an mir vorbei zur Theke.

„Sieh mal, Boleros... Ich hab deine Schulden im *Danubio* bezahlt... Eine Hand wäscht die andere!"

„Mensch! Das hatte ich ganz vergessen! Vielen Dank..."

„Los, spuck's aus!"

Wieder verfärbte er sich. Er sah völlig fertig aus, wie 'ne durchgesessene Sprungfedermatratze.

„Also... äh... Persönlich kenn ich die beiden Typen nicht, wirklich! Hab von ihnen gehört, aber kennen tu ich sie nicht. Und die Frau, na ja, das ist 'ne Nutte, aber ich glaub, die taugt nicht viel."

„Nerv mich nicht, Boleros. Eben hast du noch gesagt, du kennst sie."

Er sah zu Roberto rüber. Der Geschäftsführer kämmte sich schon wieder.

„Erzähl das bloß keinem", raunte er mir zu. „Ich glaub, die Kolumbianerin arbeitet ab und zu in einer Sauna am Paseo de la Castellana. *El Sirocco* heißt der Laden", fügte er seufzend hinzu.

„*El Sirocco*? Na schön, immerhin etwas."

„Um Gottes willen, erzähl bloß keinem, daß ich dir das gesagt hab!"

„Nein, nein, keine Sorge."

„Schön, dich mal wieder zu sehen, Toni, altes Leder. Du weißt ja, ich helfe dir gerne. Warst echt nett zu mir."

„Wenn ich die Frau finde, hast du mir schon sehr geholfen."

„Aber sei vorsichtig, ja?"

„Ja, ja."

„Es hat sich einiges geändert in Madrid. Seltsame Gestalten sind aufgetaucht, Drogenfreaks, verrückte Latinos... Gute Profis sind nicht mehr gefragt. Ich bin aus dem Geschäft, Toni. Das Leben wird jeden Tag härter."

„Dann paß auf dich auf, Alter."

„Na klar!" Er grinste. „Vergiß deinen Ärger und amüsier dich lieber mit der Paula! Guck mal, da ist sie!"

Er zeigte auf eine der Frauen an dem Tisch.

„Nein, vielen Dank, Boleros. Ruf mich an, wenn du mehr erfährst. Ich arbeite in dem Tanzschuppen *La Luna de Medianoche*. Merk dir den Namen."

„In der neuen Disko?"

„Ja. Würde mich freuen, wenn du anrufst. Rufst du an?"

„Klar, Mann. Das hat aber doch nichts mit den Bullen zu tun, oder?"

„Nur keine Sorge."

Zum Abschied klopften wir uns wieder auf die Schultern. Ich ging zur Theke und fragte den Mann mit dem Kamm:

„Wo ist das Telefon?"

„Neben der Toilette", antwortete er. „Na, geschäftliche Besprechung mit dem Boleros?"

„Kann schon sein", knurrte ich.

Vor der Klotür saß eine fette Alte mit Halbglatze. Ihr weißer Kittel spielte stark ins Gräuliche. Mit leerem Blick stopfte sie in atemberaubender Geschwindigkeit Sonnenblumenkerne in sich hinein.

Ich rief im *Danubio* an. Antonio meldete sich. Ich fragte, ob er die Adresse von Zazá Gabor rausgekriegt habe.

„Mein Onkel weiß auch nicht, wo er wohnt. Aber komm doch morgen wieder zum Essen. Vielleicht spielt er dann, Toni."

„O.K., reservier mir 'n Tisch."

Ich legte auf und ging wieder zu dem König der Kämme.

„Wieviel macht das?"

„Ein Gin-Tonic und einmal telefonieren, ja?"

„Genau."

„Sechshundertundfünf."

Ich sah ihn überrascht an.

„'n bißchen teuer, finden Sie nicht auch?"

Roberto, der Geschäftsführer, zuckte die Achseln.

„Jetzt kapier ich auch, wie der *Club Melodías* überleben kann", bemerkte ich.

7

Es war halb zehn abends, als ich den *Club Melodías* verließ. Ein großer cremefarbener *Dodge*, der vor dem Teatro de la Latina geparkt hatte, setzte sich beinahe geräuschlos in Bewegung.

Ich ging langsam in Richtung Calle Toledo. Plötzlich rief eine Stimme:

„He, Toni!"

Ich drehte mich um. Santos *El Calvo* lehnte sich aus dem Wagenfenster.

„Kommst du mal her, bitte?"

Ich ging zu ihm. Im Fond sah ich undeutlich eine zweite Gestalt.

„Meine Freunde wollen mit dir reden", sagte Santos.

„Sag deinen Freunden, ich will nicht mit ihnen reden."

Durch das hintere Wagenfenster schob sich der schwarze Lauf einer Pistole. Dahinter tauchte ein Gesicht auf.

„Hör auf mit dem Blödsinn und steig ein", sagte eine rauhe Stimme.

Die Wagentür wurde geöffnet. Der Typ rutschte zur Seite, um mir Platz zu machen.

Ich stieg ein. Die ganze Zeit hielt er die Waffe auf mich gerichtet. Santos fuhr los.

Der Kerl neben mir war schmächtig und hatte einen grauen Teint. Sein Haar war mit sehr viel Wasser zurückgekämmt. In seiner Rechten hielt er eine alte, aber eindrucksvolle *Luger*. Mit der Linken tastete er mich ab.

„Hör zu", sagte er schließlich, „ich hab nichts gegen dich, verstehst du? Also benimm dich, dann passiert dir nichts. O.k.?"

„Toni ist 'n prima Kerl", bemerkte Santos.

„Um so besser", gab der andere zurück.

„Was soll das, Santos?" fragte ich.

„Bleib ganz ruhig, Toni." Santos drehte sich um. „Aber anders wärst du ja nicht mitgekommen. Übrigens, wir sind gleich da."

Der andere beobachtete mich, seine *Luger* auf dem Schoß. Die ganze Fahrt über ließ er mich nicht aus den Augen.

Wir fuhren über die Calle de la Princesa, dann durch den Bezirk Moncloa. Keiner machte den Mund auf. Wenig später warfen die Lichter der Autobahn Richtung La Coruña Arabesken ins Wageninnere, bis Santos an einer Abfahrt die Autobahn verließ und in eine Nebenstraße bog. Ich sah die Neonlichter eines Schildes, das hundert Meter weiter ein Motel ankündigte: *El Alce.*

Santos bremste scharf. Wir befanden uns auf einem baumbestandenen Parkplatz, der von Laternen beleuchtet wurde. Keine der vielen Limousinen war ein Gebrauchtwagen.

Santos stieg aus und öffnete mir die Tür.

„Los, Toni", sagte er, „es dauert nicht lange."

Der andere hob die Waffe.

„Tu, was er sagt, sei vernünftig!"

Ich stieg aus. Santos ging vor, ich folgte ihm. Über Stufen aus Baumstämmen erreichten wir die breite Eingangstür. Das dreistöckige Hotel hatte ein schräges, heruntergezogenes Dach, wie ein Haus in den Alpen. In der Eingangshalle spielte leise Musik. Der livrierte Portier erkannte Santos und öffnete uns eine Tür, die in eine zweite Vorhalle führte. Hier sah's aus wie in einem von Bronston entworfenen Jagdschlößchen. An den Wänden hingen Trophäen von Hirschen und Wildschweinen, Gewehre und antike Waffen. Die Theke der Rezeption war eine jämmerliche Imitation einer Bar in einem Western-Saloon.

Santos ging zu einer gläsernen Schiebetür und öffnete sie. Wir betraten einen Eßsaal, in dem mit Gemurmel zu Abend gespeist wurde. Durch die breiten Fenster konnte man die dunkle Sierra de Guadarrama sehen. Kerzenleuchter auf jedem Tisch sorgten für eine intime Atmosphäre. Unauffällige Kellner im Cutaway, schwerelos wie Schmetterlinge, trugen geräuschlos Tabletts hin und her.

Wir durchquerten den Saal. Santos wies auf einen Tisch hinten in einer Ecke, an dem ein einzelner Mann aß.

Als wir zu ihm traten, hob er kaum den Blick von seinem Aalgericht. Im Kerzenschein wirkte sein Gesicht wie geschminkt, so glattrasiert war es. Er mochte sechzig Jahre oder älter sein, bemühte sich aber krampfhaft, es sich nicht anmerken zu lassen. Unter einem grünen Kordsamtjackett trug er einen gleichfarbigen Rollkragenpullover. Vornehm nahm der Mann ein Glas in die Hand und trank einen Schluck, während er mich musterte.

„Toni Romano, Señor Céspedes", stellte Santos mich vor.

„Setzen Sie sich, bitte." Er wies auf den Stuhl gegenüber und wandte sich dann an Santos. „Gehen Sie. Ich rufe Sie, wenn ich Sie brauche."

„Ja, Señor Céspedes", antwortete der.

„Zunächst entschuldigen Sie bitte die Art und Weise, in der man Sie hergebracht hat", sagte er lächelnd zu mir. „Aber ich glaube, das war die einzige Möglichkeit, Sie kennenzulernen."

Er schnippte mit den Fingern. Wie hergezaubert erschien ein Kellner neben ihm und verbeugte sich.

„Was darf ich Ihnen bestellen? Wenn Sie zu Abend essen möchten…"

„Nein."

„Einen Drink?"

„Nein."

Eine Handbewegung gab dem Kellner zu verstehen, daß er sich entfernen sollte.

„Mein Name ist Carlos Céspedes. Ich komme sofort zur Sache, Señor Romano. Was ich Ihnen vorschlagen möchte, ist ein Geschäft… Ein sehr vorteilhaftes Geschäft", fügte er hinzu.

„Hab ich Ihrem Gorilla nicht gesagt, daß mich das nicht interessiert?"

„Santos ist nicht mein Leibwächter. Er ist ein Angestellter meines Unternehmens, der Chef der Sicherheitsabteilung. Einen Leibwächter habe ich nicht." Er machte eine Pause, um das Stückchen Aal in seinem Mund zu zerkauen. „Obwohl... Ich kenne Leute, die haben bis zu vier Bewacher. Anscheinend ist es Mode, Bankiers zu entführen und umzubringen."

„Wollten Sie nicht sofort zur Sache kommen? Tun Sie's bitte, ich hab's eilig. Vorher möchte ich Ihnen aber noch sagen, daß ich nur deshalb hier bin, weil Ihr anderer Angestellter mich mit seiner *Luger* bedroht hat."

„Oh!" rief er. „Ich muß mich bei Ihnen entschuldigen." Seine Augen musterten mich von oben bis unten. „Man hat mir nur Gutes über Sie erzählt, Señor Romano. Ich weiß, daß Sie mal bei der Polizei waren. Um mich klar auszudrücken: Ich möchte, daß Sie für mich arbeiten. In meiner Sicherheitsabteilung, beste Bedingungen garantiert. Es wär so, als hätten Sie im Toto gewonnen." Er deutete eine verächtliche Geste an und fuhr fort: „Das ist das Geschäft, von dem ich anfangs sprach."

„Schafft Santos das nicht alleine?"

Er tat so, als hätte er meine Frage nicht gehört.

„Rausschmeißer in einer Diskothek", sagte er, „das ist doch keine Arbeit für einen Mann wie Sie, Romano. Was ich Ihnen anbiete, entspricht mehr Ihrem Format. Wenn Sie für mich arbeiten, wird Ihnen das nichts als Vorteile bringen. Das garantiere ich Ihnen!"

„Warum fangen Sie nicht ganz vorne an?"

Er aß weiter, hörte dann plötzlich auf zu kauen und sah mich mit Augen an, die den Böden von leeren Joghurtbechern glichen.

„O.k.", sagte er schließlich. „Soll mir recht sein... Also, Cazzo und ich standen vor dem Abschluß eines Geschäfts größeren Ausmaßes. Dabei spielte Cazzo eine wichtige Rolle. Ohne ihn würde keiner unserer Kunden auch nur eine einzige

Peseta investieren. Aber plötzlich zeigte sich Cazzo unentschlossen, zog die Sache in die Länge. Wir haben Nachforschungen angestellt und herausgefunden, daß *Filemox*, Cazzos Finanzierungsgesellschaft, den ganzen Kuchen für sich haben wollte, das heißt, allein mit den Kunden verhandeln und meine Bank leer ausgehen lassen wollte. War gar nicht so einfach, Cazzos doppeltes Spiel zu durchschauen. Aber schließlich ist es uns doch gelungen. Kurz und gut, jetzt ist Cazzo tot, und wir stehen ohne die Dokumente da, die unseren Anspruch auf das Geschäft beweisen. Wir wissen aber, daß der Chauffeur sie hat…" Er sah mich mit seinen kühlen Augen an. „Ich möchte, daß Sie den Mann finden. Wir zahlen Ihnen hundertfünfzigtausend Pesetas monatlich oder den Gegenwert in ausländischer Währung, wenn Sie's wünschen. Kein schlechtes Gehalt, oder?"

Ich hatte mir eine Zigarette angezündet und rauchte langsam.

„Warum sind Sie so sicher, daß der Chauffeur die Dokumente hat?"

Er lächelte, was ihm offensichtlich leicht fiel.

„Cazzo war mit uns verabredet, als er unerklärlicherweise in diesen Club ging. Er hatte die Dokumente bei sich, und irgend jemand muß sie ihm abgenommen haben. Sie waren weder im Wagen noch bei seiner Leiche."

„Drei Leute konnten die Dokumente an sich nehmen", warf ich ein. „Der Chauffeur, der Inhaber des Clubs und ich."

Señor Céspedes schüttelte den Kopf.

„Nur der Chauffeur wußte, was Cazzo bei sich hatte. Er hat für uns gearbeitet."

„Wie meinen Sie das?"

„Er war einer von unseren Leuten. Informierte uns über jeden Schritt, den sein Chef tat. Ihm haben wir's zu verdanken, daß wir das doppelte Spiel von Cazzo aufdecken konnten. Nein, Señor Romano, es besteht kein Zweifel: Der Chauffeur hat die Dokumente gestohlen."

„Seit wann hat er für Sie gearbeitet?"

„Seit etwas mehr als einem Jahr. Hat uns nicht viel gekostet. Solche Leute lassen sich leicht kaufen." Er schob seinen Teller zur Seite und wischte sich sorgfältig den Mund ab. „Hatten Sie schon jemals ein Monatsgehalt von hundertfünfzigtausend, Señor Romano?"

„Nein."

Er sah mich an. Beim Sprechen spannte sich die Haut um seine Augen.

„Kommen Sie gleich morgen in unser Büro. Santos wird Ihren Vertrag fix und fertig haben."

„Einen Moment, Señor Céspedes. Cazzo war an dem Abend, an dem er ermordet wurde, mit Ihnen verabredet. Deswegen hatte er wichtige Dokumente bei sich. War's ungefähr so?"

„Ganz genauso."

„Sind diese Dokumente sehr viel wert?"

„Worauf wollen Sie hinaus?"

„Auf folgendes: Was sollte ein Chauffeur damit anfangen? Wenn's sich um Geld handeln würde... das könnte ich verstehen. Aber Papiere..."

„Señor Romano, der Chauffeur weiß, wie wichtig diese Papiere für uns sind. Er hat für uns gearbeitet, wie gesagt. *Filemox* würde 'ne Menge zahlen, um sie wiederzubekommen. Auch nach Cazzos Tod sind sie an dem Geschäft interessiert... ohne uns! Aber das werden wir nicht zulassen! Wir besitzen das Vorzugsrecht, was die Dokumente beweisen. Verstehen Sie? Deshalb sollen Sie den Chauffeur ausfindig machen und zu uns bringen. Und jetzt, Señor Romano, wenn Sie gestatten... möchte ich die Tafel aufheben."

„Kann Santos ihn nicht suchen? Er ist Profi."

Carlos Céspedes wurde ungeduldig.

„Hören Sie, Señor Romano! Das Gehalt, das ich Ihnen anbiete, ist hoch. Dafür wünsche ich, keine weiteren Erklärungen abzugeben. Ich möchte, daß Sie sich sofort auf die Suche nach dem Chauffeur machen. Santos wird Ihnen die nötigen Informationen geben."

„Für Sie zu arbeiten, paßt mir nicht in den Kram, Señor Céspedes."

„Wie bitte?"

„Vielen Dank, aber Ihr Angebot interessiert mich nicht."

„Verstehe." Lächelnd lehnte er sich zurück. „Vielleicht sind Sie ein Geschäftsmann, und ich hab's nur noch nicht gemerkt… Also gut, was verlangen Sie? Nennen Sie eine Summe und bringen Sie mir diesen Scheiß-Chauffeur!"

„Sie und Santos wollen mir unbedingt einreden, daß ich mit dem Mann unter einer Decke stecke! Ich kenne den Kerl gar nicht, hab nicht gesehen, daß er Cazzos Leiche irgendwas weggenommen hat, und hab ihn seitdem nicht wiedergesehen. Zufrieden? Meine Antwort bleibt: Nein!"

Céspedes' Gesicht war braungebrannt, aber ich sah, wie es sich purpurrot verfärbte und hart wurde. Männer wie er sind es nicht gewohnt, über ihre Anweisungen zu diskutieren. Darum sind sie reiche Bankiers, Wohltäter der Menschheit geworden.

„Sind Sie sicher, daß Sie mich richtig verstanden haben?" fragte er beherrscht.

„Ich glaub schon."

„Verschwinden Sie, Sie Vollidiot! Und zwar sofort, bevor ich's mir anders überlege…"

Ich stand auf und klopfte mir mein Jackett glatt. Seine Augen verengten sich zu bedrohlichen Schlitzen.

„Ich rate Ihnen, mir in Zukunft nicht mehr über den Weg zu laufen. Würde Ihnen nicht bekommen. Haben Sie das verstanden, Sie Würstchen? Ich dulde nicht, daß man mich an der Nase herumführt."

Die folgenden Worte hörte ich schon nicht mehr. Ich drehte mich um und ging zur Tür.

In der Hotelhalle wartete Santos. Er saß mit übereinandergeschlagenen Beinen in einem Sessel aus Tigerfellimitation und beobachtete zwei sehr junge, auffällig geschminkte Mädchen, die albern herumkicherten. Als Santos mich sah, stand er auf.

„Na, Toni, alles in Ordnung?" Er nahm meinen Arm.

„Siehst du, wie recht ich hatte? Meine Freunde sind sehr großzügig."

„Deine Freunde sind prima. Gehn wir!"

Wir verließen das Motel. Unter unseren Füßen knirschte der Kies. Auch hier draußen hörte ich noch das gedämpfte Lachen der Frauen und die leise Musik. Santos öffnete die Türen des *Dodge*, und wir stiegen ein. Der Kerl mit der *Luger* war verschwunden.

Santos startete den Wagen. Wir fuhren auf die Schotterstraße. Kurz darauf rasten wir über die Autobahn, jetzt in Richtung Madrid.

„Du bist mir doch nicht böse, Toni, oder? Ich halt viel von dir, das weißt du. Wie findest du Señor Céspedes?"

„Er ist ein Arschloch."

Santos lachte dreckig.

„Ja, das ist er. Und Cazzo war ein noch größeres Arschloch als Céspedes. Werde mich nie an solche Leute gewöhnen können."

„Als du bei mir zu Hause warst, hast du gesagt, Cazzo sei ein Gentleman gewesen."

Er zuckte mit den Achseln. Sein mächtiger Körper war nach vorn gebeugt. Die Lichter der Autobahn warfen weiße Flekken auf sein Gesicht.

„Ja, das sind sie. Gentlemen. Ich meine damit, sie kleiden sich wie Gentlemen, speisen wie Gentlemen, aber in Wirklichkeit sind sie Gauner. Alles, was ich als Polizist in dieser Richtung gesehen habe, würde neben ihnen wie Schuljungen wirken, die Räuber und Gendarm spielen. Aber was soll's? Man muß mit ihnen leben. Irgendwann hat jeder einem Céspedes oder einem Cazzo zu gehorchen. Besser, man sieht zu, daß man seinen Schnitt macht."

„Frutos und du, ihr seid derselbe Jahrgang, stimmt's?"

„Ja..." Santos wurde nachdenklich. „Der gute alte Frutos! Wird wohl nie zum Kommissar befördert. Das hat er nun von seiner Ängstlichkeit, Toni. Frutos war sein Leben lang bei der

Polizei, vierzig Jahre. Und was hat er davon? Ich sag's dir: Nichts, überhaupt nichts! Jeder kleine Beamte, der zum Personenschutz oder zur Geheimpolizei abkommandiert wird, verdient das Doppelte."

„Céspedes ist wohl sehr einflußreich, was?"

„Das kannst du dir nicht vorstellen! Ich war zweimal für ihn bei der DGS…" Traurig lächelnd entblößte er sein Zahnfleisch. „Wie die mich empfangen haben! Erinnerst du dich an Celso?"

„Ja."

„Der ist jetzt Hauptkommissar, hat sogar 'ne eigene Sekretärin. Also, wenn du Celso gesehen hättest, wie er mir auf die Schulter geklopft und Grüße an Céspedes bestellt hat…! Hat sofort zum Telefon gegriffen und Frutos angeschnauzt, er solle auf der Stelle diesen Chauffeur anschleppen, sonst könne er was erleben… Das Gesicht von Frutos hätte ich zu gerne gesehen… Hör mal, Toni, hast du Céspedes gesagt, wo der Chauffeur ist?"

„Nein."

Santos klammerte sich ans Lenkrad.

„Aber…" stammelte er.

„Ich bin nicht daran interessiert, für euch zu arbeiten. Das hab ich dir schon in meiner Wohnung gesagt."

„Heiliger Strohsack, bist du bescheuert!"

„Kann schon sein."

„Ich weiß genau, was du in den Jahren gemacht hast, seit du aus dem Ring gestiegen bist." Er schwieg eine Weile. „Du weißt nicht, wie du über die Runden kommen sollst. Als Leibwächter hast du gearbeitet, in dieser Agentur Draper… Nichts Vernünftiges, Toni, nur Scheiße. Und jetzt bist du Rausschmeißer in einer Disko für Langhaarige und Drogensüchtige. Bist du wirklich so blöd? Hast du nichts für Geld übrig? Was ist so schlimm daran, für einen wie Céspedes zu arbeiten? Fast jeder arbeitet für jemanden wie Céspedes, die meisten wissen's nur nicht. Was geht dich dieser verdammte Chauffeur an?"

„Ich hab keine Lust mehr, mir immer dasselbe anzuhören. Halt endlich die Schnauze, Santos. Zum letzten Mal: Ich hab nicht gesehen, was der Chauffeur bei der Leiche gemacht hat, und als ich nach draußen gerannt bin, hab ich niemanden gesehen."

Santos sah mich eine Weile an, dann schaute er stirnrunzelnd wieder auf die Fahrbahn. Die dunklen, eleganten Villen flogen wie in einem Stummfilm an uns vorbei.

„Ich nehme dir das ab", sagte Santos schließlich, „aber Céspedes nicht. Hör mal, Toni, sollen wir zurückfahren und dem Chef sagen, daß du nervös warst? Wir können ihn anrufen, noch ist Zeit dafür. Wir zwei werden den Chauffeur schon finden, auch wenn er sich im Mittelpunkt der Erde versteckt."

„Nein, Santos."

„Na gut", knurrte er.

Keiner von uns öffnete bis Madrid den Mund. Santos fuhr die Calle de la Princesa hinunter und fragte mich, wo er mich absetzen solle. Gran Vía, Ecke Montera, sagte ich. Genau dort ließ er mich raus. Wir verabschiedeten uns. Santos schien gelöst und ruhig, klopfte mir freundschaftlich auf die Schulter und riet mir, ich solle auf mich aufpassen. Ich stieg aus. Der Wagen verlor sich im Verkehr.

8

Die Morgensonne spiegelte sich in den Fensterscheiben der Wolkenkratzer. Ich ging durch ein luxuriöses Marmorportal in das Haus, in dem sich die Sauna befand. Auf einem Plastikschild konnte man lesen: *El Sirocco, Sauna, Massagen, Türkisches Bad, VISA*. Aber der Eingang zur Sauna befand sich im Innenhof. Also ging ich wieder hinaus und um das Haus herum.

Im Innenhof befand sich auch der Eingang zu einem Nachtklub, *La Cacatúa*. Dem Portal nach zu urteilen, kostete der Eintritt etwa soviel wie eine Nierentransplantation. Die künstlichen Pflanzen in dem Gärtchen davor ertranken fast im Wasser.

Die Fassade der Sauna war grün gestrichen. Ich rückte meine Krawatte zurecht und drückte auf den Klingelknopf. Vielleicht war es um zwölf Uhr morgens noch zu früh für einen Durchgang.

Drinnen näherten sich klappernde Absätze. Eine etwa vierzigjährige Frau öffnete mir lächelnd. In ihrem eleganten weißen Kittel, der ihre Knie nicht bedeckte, sah sie aus wie eine freundliche Friseuse. Sie war klein, aber wohlproportioniert.

„Guten Tag, Señor", flötete sie. Sie schien es mir wirklich zu wünschen. „Kommen Sie doch rein."

Sie trat zur Seite, um mich hereinzulassen. Es herrschte absolute Stille. Wir befanden uns in einer Art Empfangsraum mit Schlingpflanzen und grünem Teppichboden. Die sanfte Musik erweckte kaum den Eindruck, daß man Musik hörte. Die Frau in dem weißen Kittel machte eine einladende Geste, ihr in den nächsten Raum zu folgen.

„Ist es nicht noch zu früh?" fragte ich.

„Oh nein, überhaupt nicht!"

„Das freut mich."

„Kommen Sie, bitte."

Wir gingen in ein kleines, aseptisch aussehendes Zimmer.

„Sie sind zum ersten Mal hier, Señor?" fragte sie mich.

„Ja, aber ich kann Ihnen versichern, nicht weil ich bisher keine Lust gehabt hätte. Ich habe viel zu tun…" Ich lächelte schüchtern. „Sie sind doch diskret, oder?"

„Aber natürlich, Señor! Unsere Kunden wissen unsere Diskretion sehr zu schätzen. In diesem Punkt können Sie ganz beruhigt sein. Möchten Sie nicht Platz nehmen?"

Ich setzte mich vor die makellos weiße Rezeption, die den Eindruck einer Privatklinik noch verstärkte. An den Wänden hingen unverfängliche Zeichnungen und Fotografien mit Motiven aus Harems und Serails.

Nicht das geringste Geräusch war zu hören. Außer der Tür, durch die ich gekommen war, gab es noch zwei weitere an der gegenüberliegenden Seite. Die Empfangsdame holte ein grün eingebundenes Album aus einer Schublade und öffnete es. Eine Art Odaliske, mollig und nackt, mit mehr Haaren als ein ganzer Wagen voller Kokosnüsse, lächelte mir von einem Foto zu.

„Kennen Sie unsere Tarife?" fragte mich die Frau.

„Nein."

„Also, wir haben…"

„Was ich möchte, ist eine gute Massage."

Sie sah mich an und senkte lächelnd den Blick.

„Tja… Eine Massage kostet viertausend Pesetas. Wenn Sie jedoch vielleicht…"

„Das genügt mir für den Anfang… Ich möchte es mal probieren."

Während die Frau ein grünes Kärtchen ausfüllte, zündete ich mir eine Zigarette an. Sie reichte mir das Kärtchen. „Ein Bad mit Entspannungsmassage" stand drauf.

„Ich weiß auch schon, von wem ich massiert werden möchte", sagte ich. „Sie ist sehr hübsch… Emilia heißt sie, sieht aus wie 'ne Mulattin."

„Emilia?"

„Ja, sie wurde mir sehr empfohlen."

„Wer hat Ihnen gesagt, daß ... Emilia hier arbeitet, Señor?"

„Ein Freund von mir." Ich beugte mich vor und senkte die Stimme. „Was ist mit ihr, ist sie krank geworden?"

Das Gesicht der Frau hatte sich plötzlich verändert. Mißtrauen ließ Falten sichtbar werden.

„Emilia arbeitet nicht mehr bei uns, sie wurde entlassen."

„Ach ja? Schade!" Enttäuscht schüttelte ich den Kopf. „Was ist denn passiert? Hat sie sich plötzlich mehr für Frauen interessiert?"

„Wer hat Ihnen Emilia empfohlen, Señor?"

„Bitte, wir wollen doch nicht indiskret werden." Meine Stimme wurde wieder leiser. „Suchen Sie eine andere für mich aus ... aber nicht so eine wie die da", fügte ich hinzu und zeigte auf das Foto mit der molligen Odaliske.

Die Frau schien aus einem Traum zu erwachen.

„Ja, selbstverständlich." Sie blätterte in dem Album und zeigte mir ein anderes Foto. „Gefällt Ihnen die, Señor?"

Das Mädchen war blond, trug einen winzigen Slip und schnupperte an einer Blume. Ich schloß die Augen.

„Traumhaft!" sagte ich.

„Wenn Sie jetzt bitte zahlen möchten ..."

Ich schob vier grüne Scheine über den Tisch. Die Frau legte sie zusammen mit dem Album in die Schublade. Dann holte sie aus ihrer Kitteltasche einen Schlüssel, an dem ein ebenfalls grünes Kärtchen mit der Nummer sechs hing. Sie stand auf und ging zu einer der beiden Türen. Ich folgte ihr. Die Tür führte auf einen langen Gang, der nach einem verführerischen Parfüm roch. Der süßliche Geruch erinnerte mich an die mit Wein gebackenen Kuchen meiner Großmutter Catalina. Von dem Flur gingen mehrere numerierte Türen ab. Die Frau öffnete die Nr. 6 und ließ mich eintreten. Dann ging sie zu einer Badewanne, steckte den Stöpsel in den Abfluß und drehte die Wasserhähne auf. Wasserdampf beschlug die schwarzen Wandfliesen. Neben einem Waschbecken lag ein Satz bunter

Handtücher bereit. In dem Zimmer befand sich außerdem eine grüne Liege. Auch der Teppichboden war grün. In einem Wandspiegel konnte ich mich in voller Größe bewundern.

„Machen Sie sich's bequem", sagte die Empfangsdame. „Ihre Masseuse kommt sofort."

Sie ging hinaus und schloß geräuschlos die Tür. Irgendwo wurde ein Möbelstück gerückt. Ein Mann hustete. Ich drückte meine Zigarette im Waschbecken aus und ging zu der Wanne, um erst mal die Hähne zuzudrehen. Mir lief nämlich schon der Schweiß über Brust und Rücken.

Ich habe einen Freund, Romualdo, dem in der Druckerei, wo er arbeitete, beide Hände von einer Papierschneidemaschine abgerissen wurden. An ihn mußte ich denken, als ich mir die wohltuende Arbeit der Masseusen vorstellte.

Das Öffnen der Tür riß mich aus meinen Gedankenspielereien. Ein Mädchen mit Bürstenhaarschnitt kam herein. Sie sah aus wie eine freche Straßengöre. Der Kittel ging ihr bis zum halben Oberschenkel.

„Bist du noch nicht fertig?" fuhr sie mich an. „Los, zieh dich aus!"

Sie sah flüchtig in den Spiegel, verzog den Mund und knöpfte ihren Kittel auf. Sie war dünn, nur ihr Bauch stand etwas vor. Mit dem Mädchen auf dem Foto hatte sie keine Ähnlichkeit. Ich ging zu ihr und hielt ihr meine geballte Faust vor die Nase. Entsetzt starrte sie mich an.

„Aber... was..."

„Weißt du, was das ist?"

„Was... Ich... Ich weiß nicht..."

„Das ist eine Faust! Wenn du meine Fragen nicht artig beantwortest, hau ich dir was auf die Schnauze. Überleg dir's gut."

„Du bist ja wahnsinnig!" rief sie.

Sie wollte abhauen, aber ich hielt sie am Ellbogen fest und drohte ihr wieder mit der Faust.

„Kennst du Emilia?" fragte ich.

„Emilie?... Emilia?" stammelte sie. „Welche Emilia? Bist du verrückt? Laß mich los, ich hab dir nichts getan!"

„Sie ist Südamerikanerin, ziemlich vollbusig. Wird auch die ‚Schwarze‘ oder ‚die Kolumbianerin‘ genannt. Sie arbeitet hier. Los, denk nach, ich hab wenig Geduld."

„Aber... Ich weiß nichts."

Ich faßte sie etwas härter an.

„Laß mich los, Chef. Ich hab dir nichts getan!"

„Letzte Warnung!"

Ich hob wieder meine Faust.

„Warte", keuchte sie und wischte sich den Schweiß von der Oberlippe. „Du tust mir weh. Bist du Bulle, Chef?"

„Geht dich nichts an."

„Wenn ich was sage, erfährt das jemand?" fragte sie. Ihre Raubtieraugen verengten sich zu Schlitzen.

„Außer mir nicht."

„Der Geschäftsführer hat sie wegen schlechter Manieren rausgeschmissen, weil sie aufgemuckt hat. Es hat 'n ziemlichen Krach gegeben, ich weiß nicht, warum. Verstehst du, Chef?"

„Nenn mich nicht immer ‚Chef‘. Warum ist sie rausgeflogen?"

„Sie war die Privathure vom Geschäftsführer. Besser, du fragst ihn. Ich weiß nichts. Schlag mich nicht, Chef!"

Ich ließ ihren Ellbogen los und zündete mir eine Zigarette an. Das Mädchen sah lauernd zur Tür.

„Hat dir diese Emilia nichts erzählt?" bohrte ich weiter.

„Nichts, null! Sie hat sich sofort aus dem Staub gemacht. Wollte hoch hinaus, hielt sich für Greta Garbo. Ja, die Schwarze führte sich auf wie 'ne Prinzessin!"

„Ist sie mal von einem Freund besucht worden?"

„Keine Ahnung, ob sie einen hatte. Sie hat drei Stunden morgens gearbeitet und vier abends, wie alle. Danach ist sie abgehauen."

„Hat sie Rauschgift genommen?"

„Weiß ich nicht, Chef. Ich schwör's dir! Ich hatte nichts mit ihr zu tun."

„Zieh dir deinen Kittel wieder an, sonst holst du dir noch 'n Schnupfen."

Sie gehorchte. Die Angst war noch nicht aus ihrem schmalen Gesicht gewichen, aber sie wirkte jetzt entspannter. Jedesmal, wenn ich meine Hand mit der Zigarette bewegte, zuckte sie ängstlich zurück. Sie erinnerte mich an einen verwahrlosten Straßenköter.

„Wie stand sie mit dem Besitzer?"

„So lala, wie alle. Der Chef kommt selten. Ich schwör dir, mehr weiß ich nicht… Gleich wird hier geschlossen, wir gehen um halb zwei."

„Ist dein Chef so um die fünfzig, groß, mit onduliertem Haar?"

„Hab ihn nie zu Gesicht gekriegt. Wir haben nur mit Loren zu tun, dem Geschäftsführer, und mit der Montse. Am besten, du fragst die beiden nach Emilia."

Ich sah auf meine Uhr, warf die Zigarette auf den Boden und trat sie aus. Draußen waren Schritte und andere Geräusche zu hören.

„Und Zazá? War Emilia mit ihm befreundet?"

„Mit dem Alten?" Sie grinste. „Der kam nur hin und wieder zur Massage, alle Jubeljahre."

„Aber sie kannten sich, stimmt's?"

„Wir kannten ihn alle… Gibst du mir die Karte, Chef?"

Ich gab ihr das grüne Kärtchen.

„Hat die Emilia was gemacht, Chef?"

„Hör endlich auf, mich ‚Chef' zu nennen! Und jetzt verschwinde. Aber eins sag ich dir: Wenn du mich verarscht hast, bind ich dich fest und polier dir die Fresse. Hast du kapiert?"

„Ich hab die Wahrheit gesagt, Chef. Bei meiner Mutter!"

„Hau schon ab."

In der Tür drehte sie sich um.

„Komm doch demnächst mal wieder vorbei, dann besorg ich's dir. Mit den Bullen muß man sich gutstellen."

Und dann verließ auch ich das Zimmer Nr. 6.

Ein fetter Kerl, bärtig und blaß, stützte seine verschränkten Arme auf die Theke der Rezeption. Unter den Achseln hatten

sich Schwitzflecken gebildet, im Mund hing ein Zigarren-
stummel. Als der Mann mich sah, ließ er den Stummel auf den
Boden fallen und trat ihn aus.

„Sie suchen also Emilia?" fragte er mich mit heiserer
Stimme.

Ich ging zu ihm.

„Ja, ist was?"

Er verzog verächtlich den Mund. Ein Angeber.

„Nein."

Ich sah ihm ins Gesicht.

„Ich dachte", gab ich zurück. „Reden wir woanders."

„Ich wüßte nicht, worüber."

„Ich hab noch nichts gegessen", sagte ich. „Deshalb möchte ich mich nicht aufregen. Aber wenn du unbedingt willst...
Gibt es hier kein Büro?"

„Polente?" fragte der Kerl.

Mit den Händen in den Taschen stand ich direkt vor ihm, so
daß ich sein Gesicht genau beobachten konnte. Der Kerl hatte
Angst, und zwar eine ganz besondere Angst, feuchtwarm,
klebrig. Es war nicht die normale Angst eines ganz normalen
Menschen, sondern die einer Ratte. Nervös wischte er sich
mit seinem behaarten Handrücken über den Mund.

„Was... Was wollen Sie?" stammelte er.

Ich nahm eine Hand aus der Tasche und strich mir übers
Kinn. Dann, schnell, nicht sehr kräftig, schlug ich ihm mit der
Faust in den Magen. Er brüllte auf und fiel nach vorne. Ich
mußte ihn nur auffangen, brauchte nicht mal meine Linke aus
der Tasche zu nehmen. Ich packte den Kerl an seinem ver-
schwitzten Hemd und zog ihn zu mir ran. Sein Gesicht war
jetzt noch bleicher und häßlicher, falls das möglich war.

„Ich möchte mit Emilia reden", knurrte ich.

„Sie... sie ist nicht mehr hier."

„Du hast sie rausgeschmissen. Warum?"

„Ich führe nur Befehle aus."

„Wessen Befehle? Mach mich nicht böse! Ich bin's leid, daß
du meine Fragen nicht präzise beantwortest."

Ich versetzte ihm eine Ohrfeige. Nicht besonders kräftig, aber kräftig genug, um ihn noch mehr zu erschrecken. Dazu gehörte nicht viel.

„Wer ist hier der Chef?"

„Don Rubén Lacrampe", flüsterte er. „Aber ... er ist nicht hier."

„Rubén Lacrampe? Wer ist das?"

„Unser Chef, aber er ist nicht hier."

„Du wiederholst dich. Wo wohnt er?"

„Weiß ich nicht. Ich schwör's Ihnen."

„Schwör nicht soviel! Sag mir lieber, warum du die Kolumbianerin rausgeschmissen hast und wo dein Chef wohnt. Die Reihenfolge ist mir egal, aber rede endlich, oder ich mach dich fertig."

„Ja, ja, aber ... woanders, nicht hier."

Ich hörte ein Geräusch hinter meinem Rücken.

„Was ist hier los?"

Ich drehte mich um. Es war die „Empfangsdame". Außer dem weißen Kittel trug sie jetzt eine Pistole, die sie auf uns richtete. Eine 9er *Astra*, älteres Modell. Was aber nicht hieß, daß sie schlechter funktionierte als die moderne Ausführung.

„Was machen Sie hier?"

Ich schob den Geschäftsführer zur Seite.

„Wir plaudern ein wenig", antwortete ich. „Unter Freunden."

„Her mit dem Ding!" schrie mein bärtiger Geschäftspartner. „Ich puste dem das Hirn aus dem Schädel!"

„Keine Bewegung!" rief die Frau. Sie zitterte ebensowenig wie die Pistole in ihrer Hand. „Was geht hier vor?"

„Montse, gib mir die Pistole!" schrie der Geschäftsführer wieder.

„Ich hab gesagt, du sollst still sein!" Sie sah mich an. „Was machen Sie hier? Sind Sie von der Polizei?"

„Nein."

„Emilia ist entlassen worden. Das hab ich Ihnen doch schon gesagt."

„Schnauze!" brüllte der Bärtige.

Der Pistolenlauf drehte sich um ein paar Zentimeter, bis der dicke Bauch des Geschäftsführers sich genau in der Schußlinie befand.

„Wer hier die Schnauze hält, bist du, Loren", gab die Frau zurück. „Mir hast du nicht zu befehlen. Das hier ist wohl Sache des Chefs."

„Wenn du mit dem Chef keinen Ärger kriegen willst, gib mir lieber die Pistole, Montse."

„Schließ die Tür ab!" befahl die Frau.

Der Bärtige gehorchte und ging hinaus. Ich hörte, wie er den Schlüssel in der Eingangstür herumdrehte.

„Sie bleiben hier, bis der Chef kommt", sagte die Frau zu mir. „Und keine Mätzchen!"

„Legen Sie die Pistole weg. Wenn ich so'n Spielzeug vor mir seh, werd ich nervös."

„Von wegen! Und keine Bewegung, sonst drück ich ab."

Der Geschäftsführer kam wieder zurück in das „Empfangszimmer".

„Ruf den Chef an, Loren", sagte die Frau zu ihm. „Er soll kommen. Ich möchte Mittag machen."

„Warum gibst du mir nicht das Pistölchen, Montse? Dann kannst du in Ruhe essen gehen."

„Hältst du endlich den Mund? Ruf den Chef an!"

Brummend ging der Bärtige zum Telefon, nahm den Hörer ab und wählte eine Nummer. Die Frau mit der Waffe in der Rechten war neben ihn getreten.

„Chef?... Ich bin's, Loren... Er ist nicht da? Dann bestell ihm, er soll ins *Sirocco* kommen... dringend! Wenn ich sage ‚dringend', dann ist es dringend."

Er legte auf. Plötzlich, blitzschnell, beinahe ohne sich umzudrehen, schlug er der Frau auf die Hand, die die *Astra* hielt. Die Waffe fiel zu Boden. Ich war überrascht. Der Mann war flinker, als ich gedacht hatte. Ich stürzte zu der Pistole, konnte sie mit dem Fuß in eine der Zimmerecken befördern. Aber der Bärtige war so schnell wie kein zweiter, oder er hatte

Glück. Er warf sich auf den Boden, konnte sich die Waffe schnappen und richtete ihren Lauf auf mich, bevor ich mich überhaupt gerührt hatte.

„Keine Bewegung!" schrie er.

Ich tat, was er sagte. Er stand vom Boden auf, die *Astra* immer auf mich gerichtet.

„Dreh dich um und nimm die Hände hoch! Keine falsche Bewegung, oder ich mach Kartoffelsalat aus deinem Hirn!"

Hörte sich ganz so an, als würde er's auch wirklich tun.

„Loren", meldete sich Montse. Mit schmerzverzerrtem Gesicht rieb sie sich das rechte Handgelenk. „Das wirst du mir büßen!"

„Du hältst jetzt die Schnauze, du Miststück!"

Er setzte den Lauf der *Astra* an meinen Nacken, fuhr mit der anderen Hand in meine Jacke und holte die Brieftasche raus. Meinen *Gabilondo* hatte ich leider nicht bei mir.

Der Bärtige hielt meinen Ausweis in der Hand.

„Antonio Carpintero... Wer bist du, verdammt nochmal? Warum wolltest du zu Emilia?"

„Sie soll sehr gut sein, hat man mir gesagt."

„Ach ja?... Du bleibst jedenfalls hier und wartest auf den Chef."

„Wer ist dieser Rubén Lacrampe? Ein blonder Typ? Würde mich gerne mit ihm unterhalten."

Er brach in schallendes Gelächter aus. Ich stand immer noch mit dem Gesicht zur Wand. Hinter meinem Rücken hörte ich, daß er wieder näher an mich herantrat.

„Loren", sagte die Frau, „ich geh jetzt. Hab keine Lust, wegen euch Ärger zu kriegen."

Sie ging zur Tür, der Bärtige packte ihren Arm.

„Du bleibst hier!" brüllte er.

„Laß mich los!" brüllte Montse zurück. „Du sollst mich loslassen, du Idiot!"

Ich drehte mich um und stieß die Frau gegen das Bartgesicht. Sie schrie auf. Man hörte einen Knall, und Montse ging langsam zu Boden. Ich stürzte mich auf den Kerl, umklammerte das Gelenk seiner Hand, in der er die Waffe hielt, und schlug ihm mit der Faust auf die Nase. Drei Schläge waren nötig, bis die *Astra* leise auf den Teppichboden fiel. Ich verpaßte dem Bärtigen noch einen linken Leberhaken und beendete die Runde mit einem Schlag ans Kinn.

Er fiel nach hinten, knallte gegen die Tischkante. Seine Augen verdrehten sich, er sackte zusammen und blieb bewußtlos liegen. Ich drehte mich zu Montse um, die sich die Hand festhielt und vor sich hinstöhnte. Ihr Kittel war blutbespritzt.

„Mein... Finger", flüsterte sie.

„Laß mal sehen."

Die Kugel hatte ihr den rechten Zeigefinger weggerissen. Das Blut spritzte wie aus einem Wasserhahn. Ich band ihr mit dem Gürtel ihres Kittels den Finger ab, setzte sie auf einen Stuhl und lehnte sie mit dem Rücken gegen die Wand.

„Beruhige dich! Ist halb so schlimm... Ich ruf einen Krankenwagen."

Ich wählte die Nummer des Notdienstes. Sie versprachen, sofort zu kommen.

„Habt ihr blutstillendes Spray?"

„In der Hausapotheke... im Büro."

Ich fand das Gesuchte und besprühte ihre Wunde. Den Verbandskasten ließ ich auf dem Tisch stehen.

„Besprüh die Wunde, bis die Ambulanz kommt", riet ich der Frau.

Der Bärtige stöhnte auf und bewegte sich. Ich ging zu ihm und schlug ihm mit der *Astra* auf den Kopf, so daß er wieder einschlief. Dann steckte ich meine Brieftasche ein.

„Hau ab", flüsterte die Frau. „Der Chef kann jeden Moment hier sein. Los, verschwinde! Du hast keine Ahnung, auf was du dich da eingelassen hast!"

„Ich muß noch mal mit dir reden, Montse!"

„Nein, hau ab!"

Ich hielt es für besser, ihren Rat zu befolgen.

9

Ich schlafe immer bis zwölf Uhr mittags. Jede frühere Uhrzeit fällt für mich unter Morgengrauen.

Ich sah auf meinen Wecker. Zehn Uhr. An meiner Wohnungstür klingelte jemand Sturm. Ich stand auf, zog mir eine Hose an, ging zur Tür und öffnete sie.

Von allen Polizisten Madrids mußten es ausgerechnet Marques und Suárez sein, die mich an jenem Morgen weckten. In bestem Polizeistil kamen sie herein: ein schiefes Grinsen und kein Wort auf den Lippen.

„Na?" fragte ich. „Was verschafft mir soviel Ehre?"

„Bist gut eingerichtet, Mann", bemerkte Marques.

Wenn wir früher zusammen zum Dienst eingeteilt waren, erzählte Marques immer Witze. Hielt sich für urkomisch; allerdings teilte niemand seine Meinung. Er war ziemlich fett geworden, aber ich hätte ihn unter Tausenden wiedererkannt. Suárez war eleganter gekleidet als früher. Der Bauch hing ihm über den Gürtel.

„Ja", stimmte Suárez zu. „Du hast alles, was du brauchst."

Marques lachte kurz auf und ging zu der Wand mit den eingerahmten Fotos.

„Ich glaube, ich hab dich mal auf dem *Campo del Gas* boxen sehen. Hast nach Punkten verloren."

„Man kann wirklich nicht behaupten, daß du im Ring Triumphe gefeiert hast, was?"

„O. k.", sagte ich. „Einigt euch erst mal darauf, welcher Furz euch quersitzt. Ich geh inzwischen duschen."

Ich schnappte mir meine Wäsche vom Stuhl und verschwand im Badezimmer. Dort machte ich ein paar Kniebeugen und etwas Schattenboxen vor dem Spiegel. Ich wußte, die

78

beiden drüben wurden ungeduldig. Schließlich duschte ich und rasierte mich.

Als ich wieder in mein Wohnschlafzimmer kam, hatten sie bereits die Tagesdecke über meine Bettcouch gelegt und sich hingesetzt. Sie rauchten.

„Bist du endlich fertig?" fragte Suárez. „Frutos will mit dir reden. Hast lange gebraucht…"

„Wenn ihr euch angemeldet hättet, wär ich schon längst fertig gewesen, hätte die Wohnung aufgeräumt und alles. Ich liebe Besuche von Freunden."

„Hab gehört, dir geht es gut." Suárez sah sich im Zimmer um. „Aber ich hätte nicht gedacht, daß es dir *so* gutgeht."

„Und du hältst dich fit, stimmt's, Toni?"

„Frutos mag es nicht, wenn man ihn warten läßt. Er will dieses Jahr noch zum Kommissar befördert werden."

Suárez stand auf.

„Dazu müßte er sich wenigstens hin und wieder mal duschen", sagte Marques lachend.

„Was will Frutos von mir?"

„Hat er uns nicht verraten. Also, los, gehn wir."

„Vorher muß ich Kaffee trinken. Ich gehe nie weg, ohne vorher Kaffee getrunken zu haben."

Suárez ballte die Fäuste. Sein Gesicht wurde krebsrot.

„Laß den Blödsinn!" schrie er. „Meinst du, wir haben den ganzen Tag Zeit für dich?"

„Hör mal, Suárez", sagte ich langsam, „ich werd jetzt Kaffee kochen und ihn dann trinken. Willst du mich etwa daran hindern?"

Er machte einen Schritt auf mich zu, die Kinnladen aufeinandergepreßt. Marques hielt ihn am Arm zurück.

„Laß sein", versuchte er seinen Kollegen zu beruhigen.

Der aber schrie wieder:

„Was denkst du dir eigentlich, du altes Arschloch? Du gehst mir auf die Nerven!"

„Hör mir mal gut zu, du Pfeife! Ihr belästigt mich in aller Herrgottsfrühe in meiner eigenen Wohnung, ohne daß ich euch gerufen habe! Mir ist es scheißegal, ob ihr's eilig habt oder nicht. Setzt euch wieder hin und raucht weiter."

Ich ging in die Küche, setzte Wasser auf und mahlte Kaffee. Im Nebenzimmer hörte ich die beiden miteinander murmeln. Irgend so was wie „altes Arschloch" und „Fresse polieren" glaubte ich zu verstehen. Als der Kaffee fertig war, goß ich mir eine Tasse ein und trank ihn in langsamen Zügen. Den *Gabilondo* wollte ich in seiner Schublade lassen.

Wortlos gingen wir die Treppe hinunter. Auch Marques riß keinen seiner Witze. Wir überquerten die Calle de Esparteros und gingen durch die Calle Marqués Viudo de Pontejos bis zur Calle Correo. Die beiden Polizisten begleiteten mich zu Frutos' Büro und ließen mich dann alleine. Ich ging hinein, setzte mich auf einen Stuhl und zündete mir eine Zigarette an.

Der Körpergeruch von Antonio Frutos hing in der Büroluft. Ich hörte die vertrauten Geräusche: Rauhe Stimmen, eilige Schritte, Husten, Schreibmaschinengeklapper, aufheulende Motoren der Polizeiwagen, die auf Streife oder zu wichtigen Einsätzen fuhren. Lange Zeit hatte ich geglaubt, dies alles werde schließlich zu meiner Welt werden, hatte gemeint, ich sei dem Schicksal entronnen, das die Jungen meines Viertels in den Klauen hielt, ganz besonders mich, der ich nur eins beherrschte: Schläge austeilen. Deshalb hatte ich bedenkenlos zugestimmt, als sie mir vorgeschlagen hatten, die Polizeischule zu besuchen. Ich hatte damals gerade begonnen, als Profiboxer meinen Weg zu machen. Und die Polizistenlaufbahn schien mir mit allem, was sie mit sich brachte, das Beste zu sein, was mir passieren konnte. Ich würde Filterzigaretten rauchen, eine Waffe tragen, mich elegant kleiden können, und jeder würde mich respektieren.

Aber es dauerte nicht lange. Zehn Jahre. Gute, mittelmäßige und schlechte Jahre. Zehn lange Jahre. Dann, nach und nach, ging mir ein Licht auf. Entgegen der Reden und dem Quatsch, der über sie geschrieben wurde, diente die Polizei nicht dazu, die Bürger zu beschützen, sondern sie zu überwachen. Ich gehörte einer Art prätorianischer Leibwache für einige wenige an, die von allen bezahlt wurde. Unter anderem von Menschen, die jahrelange Gefängnisstrafen verbüßten, um danach wieder rückfällig zu werden, weil sie aufgrund von Not und Enttäuschung zu Tieren geworden waren, denen nichts übrigblieb als zu morden und zu stehlen, um überleben zu können. Und dann die Bestechungen! Offene, dreiste Bestechungen oder heimliche, verdeckte Bestechungen, getarnt als Geschenke, bezahlte Reisen, Kredite zum Kauf von Wohnungen, Zusatzgehälter von Organisationen wie der Unfallversicherung oder den Gewerkschaften. Ich kannte Kommissare mit vier Gehältern, die in getarnten Puffs zur Stammkundschaft zählten und gleichzeitig gegen Prostituierte ermittelten, wobei sie sich auf das „Gesetz gegen Soziale Gefährdung" beriefen. Und angesichts der allgemeinen Korruption sorgte eine treue Polizei dafür, daß langhaarige Schreihälse eingesperrt wurden, die gedacht hatten, mit dem Ende der Diktatur würde auch mit dieser ganzen Scheiße in unserem Land aufgeräumt werden. Wer diese Zustände nicht akzeptierte, wurde als verdächtig angesehen.

Die Dinge hätten sich geändert, habe ich gehört. Ich weiß es nicht...

Jedenfalls bin ich nach zehn Jahren wieder in den Ring zurückgekehrt. Boxte im Halbschwergewicht und verlor meine Kämpfe. Ließ mich zum Mittelgewicht zurückstufen und verlor ebenfalls. Bevor mein Hirn so zermatscht war, daß ich kein Wort mehr rausgekriegt hätte, stieg ich aus dem Ring, worüber niemand traurig war. Genausowenig hatte es irgend jemandem leid getan, daß ich aus dem Kommissariat und der Polizei ausgeschieden war. Außer vielleicht einem oder zwei Freunden, aber das ist ein anderes Problem...

Frutos riß mich aus meinen Gedanken. Er kam herein und setzte sich, ohne mich anzusehen, hinter seinen Schreibtisch. Er sah müde und abgespannt aus. Neue Falten durchfurchten sein glattes Gesicht. Seit wir uns das letzte Mal gesehen hatten, war er noch mehr gealtert. Seine Aussicht auf Beförderung zum Kommissar war wohl um einige Punkte gesunken.

Er hustete, holte ein Päckchen *Ideales* aus der Tasche und drehte sich mit geübten Fingern einen seiner Sargnägel. Die fertige Zigarette klemmte er sich zwischen die Lippen und zündete sie mit einem billigen Feuerzeug an.

„Gestern nachmittag wurde bei uns Anzeige erstattet", begann er mit seiner Blechstimme. „Jemand hat versucht, in eine Sauna einzubrechen. Der Geschäftsführer, die Kassiererin und eine weitere Angestellte wurden verletzt. Die Kassiererin ist im Krankenhaus, ihr fehlt der rechte Zeigefinger. Muß wohl ein Anfänger gewesen sein, irgend so'n kleiner Blödmann. Weißt du mehr über die Sache?"

Ich drückte meine Kippe im Aschenbecher aus.

„Erzähl weiter, Frutos! Ich liebe Polizeinachrichten."

„Also weiter im Text: Die drei Angestellten haben eine Beschreibung des Täters gegeben. Paßt zu dir wie 'n Foto, Antonio Carpintero."

„Nenn mich ruhig Toni Romano, Frutos. An den Namen bin ich gewöhnt."

„Erzähl mir lieber, was du in dieser Sauna wolltest. Wußte gar nicht, daß du so knapp bei Kasse bist."

„Bei deiner Kombinationsgabe wundert's mich, daß sie dich noch nicht zum Kommissar gemacht haben, Frutos! Immer diese Ungerechtigkeit bei der Polizei... Du meinst also, ich hätte die Kasse im *Sirocco* klauen wollen?"

„Sie haben Anzeige erstattet."

„Hätte nur noch gefehlt, daß ich meine Visitenkarten dagelassen hätte. Wenn ich mich eines Tages an Raubüberfällen versuchen sollte, werde ich's etwas geschickter anstellen. Meinst du nicht auch, Frutos?"

„Ich bin ein ungeduldiger Mensch. Schieß endlich los!"

„Ich habe eine Frau gesucht, eine Prostituierte namens Emilia, groß, vollbusig, schwarze Haare, Typ Mulattin. Wird auch ‚die Kolumbianerin' genannt. Die in der Sauna haben sich mächtig erschrocken. Der Geschäftsführer, ein gewisser Loren, hat mich mit einer 9er *Astra* bedroht, antikes Modell, mindestens dreißig Jahre alt. Die Pistole, meine ich. Der Typ hat auch geschossen, aber der Zeigefinger der Frau war im Weg."

„Hab die Anzeige nicht besonders ernst genommen. Noch weniger die Erklärung der Kassiererin für ihre Verletzungen. Die Sauna ist uns bekannt. Cazzo ging dorthin, sein Chauffeur auch. Nur mit dem Unterschied, daß letzterer gratis massiert wurde."

„Ich mußte viertausend zahlen. Daß Cazzo zur Kundschaft gehörte, wußte ich nicht."

„Nein?"

„Nein. Ich weiß, du glaubst mir die Geschichte nicht. Weder diese noch die von den Ereignissen im *Gavilán*. Aber das ist dein Problem. Ich sage die Wahrheit. Ich war in der Sauna, um mit Emilia zu reden."

„Warum?"

„Das ist mein Bier."

„Nein, ist es nicht! Und du wirst mir alles erzählen, Wort für Wort. Oder es gibt Ärger. Das ist kein Scherz... Du weißt, ich bin völlig humorlos."

„Merkt man."

Frutos lächelte säuerlich.

„Ich kann dir den Waffenschein wegnehmen, wenn ich will."

„Ja, das kannst du. Waffen sind euer Monopol. Aber was würde dir das nutzen? Ich würde dir nicht helfen, den Chauffeur zu finden. Und wenn du den Chauffeur nicht findest, wird Céspedes böse, und wenn Céspedes böse wird, wird Celso nervös, und am Ende mußt du's ausbaden. Das paßt dir doch gar nicht in den Kram, Frutos, deinen Chef nervös zu machen! Vor allem, wo du doch Kommissar werden willst!"

„Bist du fertig?"

„Ja."

„Diese Hure Emilia, die schwamm gestern im Manzanares. Sie haben ihr mit einem Stein den Schädel eingeschlagen. Liest du keine Zeitung?"

Ich bemühte mich, meinen Unterkiefer nicht runterklappen zu lassen, was mir nur halbwegs gelang. Frutos fuhr fort:

„Wir wissen, daß sie mit dem Chauffeur recht eng befreundet war. Dieser Zacarías hat viel Glück bei den Frauen… Aber in der Klemme sitzt nicht er, sondern du."

„Ich hab die Frau vor ein paar Wochen in meiner Diskothek gesehen, zusammen mit zwei Typen und einem alten Akkordeonspieler. Es gab eine Prügelei, und ich glaube, ich hab einen von denen wiedergesehen. Nach dem, was du mir erzählt hast, bin ich so gut wie sicher: Einer von ihnen war der Blonde, der mir im *Gavilán* entwischt ist."

„Du wirst dich doch wohl nicht wichtig tun wollen?"

„Nein, Frutos. Hab die Spur der Frau bis zur Sauna verfolgt. Ich weiß inzwischen, daß der Inhaber Rubén Lacrampe heißt."

„Das weiß ich auch", sagte Frutos ruhig. „Wie sahen die beiden Männer aus, mit denen du dich in deinem Club rumgeprügelt hast?"

„Einer war groß und kräftig, um die fünfzig, mit onduliertem Haar und dicken Lippen. Sprach mit südamerikanischem Akzent. Der andere war jünger, so um die dreißig, blond, wie gesagt, sehr schnell, aalglatt, mit Pockennarben im Gesicht."

Frutos lehnte sich zurück und blickte verträumt ins Leere. Automatisch fuhr er sich mit der Hand übers Gesicht, über die Stirn, den Mund, das Kinn. Dann wachte er wieder auf.

„Wann genau waren sie in der Diskothek?"

„So zwischen elf und ein Uhr."

„Bist du sicher, daß Emilia bei ihnen war?"

„Ja. Anscheinend war sie in der Calle Valverde allgemein bekannt. Sie wurde auch ‚die Schwarze' genannt."

„Der Gerichtsmediziner hat festgestellt, daß ihr Tod gestern nacht zwischen zwölf und zwei Uhr eingetreten ist. Sie hat mehr als vierundzwanzig Stunden im Schlammfilter des *Puente de Praga* gelegen."

„Wer sind die beiden Männer, die mit ihr zusammen waren, Frutos?"

„Weiß ich nicht", murmelte er. „Die Sache wird immer komplizierter. Und von oben krieg ich nur Druck."

„Céspedes hat mich kommen lassen. Ich sollte für ihn arbeiten. Er war ganz wild darauf, den Chauffeur zu finden. Aber ich hab abgelehnt. Ist er Cazzos einflußreicher Freund, von dem ihr eure Informationen habt?"

Frutos nickte, Asche fiel auf den Tisch, er verteilte sie gleichmäßig mit einer Handbewegung. Dann drückte er die Kippe im Aschenbecher aus und sah mich wieder an, ohne mich wahrzunehmen. Seine Augen sahen etwas, das weit in der Ferne lag.

„Glaubst du immer noch, daß ich was mit dem Chauffeur zu tun habe, Frutos?"

„Ich glaube gar nichts. Hau schon ab!"

Ich stand auf.

„Im Grunde bist du kein schlechter Kerl, Frutos."

„Hau ab, ich will dich nicht mehr sehen", knurrte er.

Als ich die Tür öffnete, rief er mich zurück. Ich sah mich um. Er drehte sich eine neue Zigarette. In seinen Augen blitzte es seltsam.

„Bist du sicher, daß der Blonde in der Diskothek derselbe war, der aus dem *Gavilán* entwischt ist?"

„Nein. Aber so gut wie sicher."

„Paß auf dich auf, Carpintero. Paß gut auf dich auf!"

Ich sagte ihm zum x-ten Mal, er solle mich Toni Romano nennen. Dann ging ich.

10

„Sie sieht dich die ganze Zeit an."

„Laß sie doch, Lidia."

„Von mir aus…"

„Sie langweilt sich bestimmt."

„Von wegen! Sie frißt dich mit ihren Blicken auf, dieses unverschämte kleine Miststück! Wie alt wird sie sein? Fünfzehn?"

„Nerv mich nicht, Lidia. Die Kleine ist mindestens zwanzig."

„Was sich alles hier rumtreibt… Kaum zu glauben! Hast du gesehen, was sie anhat?"

„Das ist jetzt Mode, Lidia."

„Mode! Nutten sind das! Von wegen Mode, Toni, ich bin doch nicht blöd. Wie die sich zurechtgemacht hat! Ich könnte ihre Mutter sein und…"

„So alt bist du auch wieder nicht."

„Lach du nur!"

„Warum glotzt du die ganze Zeit hin? Laß uns lieber in Ruhe hier 'n bißchen reden."

„Mal sehn, ob sie's merkt… Würde ihr am liebsten eine knallen, daß sie… Na ja… Dir gefällt sie, klar! Euch Kerlen gefallen die kleinen Biester. Durchtrieben sind die! Du verschlingst sie ja förmlich mit deinen Blicken! Und was für Kerle die bei sich hat!"

„Klar, Jugendliche."

„Jugendliche! Faulenzer sind das, Gammler! Toni, ich glaub, sie machen die Kleine an."

„Schon die ganze Zeit. Das hier ist eben kein Ort für ein einsames Mädchen."

„Im Gegenteil! Hab den Eindruck, als wär das hier genau das Richtige für so Huren wie sie… Aber guck doch mal, wie die rangehen!"

„Wirklich 'n bißchen üppig."

„Willst du nicht was tun?"

„Werd die Jüngelchen rausschmeißen."

„Warum bittest du die Kleine nicht in das Büro des Chefs? Erzähl ihr, sie soll sich Künstlerfotos ansehen. Und dann kannst du deinen Trick mit dem Sofa durchziehen. Bei mir hattest du damit vollen Erfolg."

„Sehr witzig!"

„Hast du keinen Schwung mehr?… Sag Braulio, er soll dir 'n paar Eiswürfel geben, zum Abkühlen! Das klappt immer… Wohin gehst du?"

„Deinen Rat befolgen, Lidia."

Behutsam stellte ich das Glas Gin-Tonic auf die Garderobentheke und ging über die Tanzfläche zu dem Tisch, an dem das Mädchen saß. Vier junge Kerle umringten sie und redeten den üblichen Quatsch. Keiner von ihnen schien schon seine Militärzeit hinter sich zu haben. Einer trug einen Bart, so lang wie der eines Guru. Die anderen drei machten auf Punks.

„Los, Jungs, haut ab!" sagte ich.

Sie sahen mich böse an, sagten aber nichts. Wahrscheinlich waren sie noch nicht *high* oder besoffen genug. Das Mädchen war's wirklich wert, angestarrt zu werden. Sie trug eine durchsichtige Bluse, die so eng saß, daß sie gar nicht durchsichtig hätte sein müssen. Ihre kurzen, knappen Shorts waren nur unwesentlich größer als ein Tanga. Das Mädchen schlug die Beine übereinander und sah mich herausfordernd an. Ich setzte mich ihr gegenüber hin.

Sie war jung, sehr jung, keine zwanzig. Und ihre Schönheit verdankte sie Gymnastik, Körperpflege und Orangensäften.

„Darf ich mich setzen?" fragte ich.

„Na klar!" antwortete sie. „Endlich hat er sich getraut! Ich heiße Katia, eigentlich Catalina, aber das gefällt mir nicht.

Nenn mich Katia. Ich darf dich doch duzen, oder? Ich finde, alle sollten sich duzen. O.k.?"

„O.k."

Sie sah mich an, imitierte den Blick von Ivonne de Carlo, falls sie jemals von der gehört haben sollte.

„Du bist Antonio Carpintero, stimmt's?"

„Ja, aber nenn mich lieber Toni Romano."

„Warum?"

„Wieso: warum?"

„Warum Toni Romano?"

„Ach, das ist 'ne lange Geschichte."

„Erzähl, ich mag lange Geschichten."

Sie nahm die übereinandergeschlagenen Beine wieder auseinander und stützte ihre Ellbogen auf den Tisch. Die Jungen, die um uns herum standen, brüllten vor Lachen. Das Mädchen hatte kurzes, blondes Haar, über das sie sich mit einstudierten Bewegungen strich. Sie trug keinen Büstenhalter. War auch nicht nötig.

„Ein andermal. Jetzt sag mir lieber, was du hier suchst. Du machst den ganzen Saal verrückt. Was willst du?"

„Was ich will? Na ja: dich!" Sie lachte melodisch. „Wußte nicht, wie ich an dich rankommen sollte. Diese Hexe in der Garderobe hat die ganze Zeit auf mir rumgehackt, stimmt's?"

„Werd nicht unverschämt und sag mir endlich, was du willst. Seit du um zehn hier reingekommen bist, hast du mich die ganze Zeit angeglotzt. Und jetzt ist es halb eins. Wenn die von der Streife hier reinkommen, müssen wir Strafe zahlen. Für Minderjährige ist der Eintritt verboten."

„Ich bin achtzehn."

„Soll ich dich nach deinem Ausweis fragen?"

„Na gut, sechzehneinhalb." Sie lachte wieder. „Aber wer merkt das schon? Wenn ich's drauf anlege..." Sie sah an ihrem Körper herunter. „...seh ich aus wie zwanzig... oder älter."

„Hör mal, Süße! Es macht mir wahnsinnigen Spaß, mit dir zu plaudern. Vor allem vor so erlesenem Publikum. Aber verrate mir endlich, warum du hier bist. Und dann zwitscherst du ab."

„Was?"

„Du erzählst mir, warum du gekommen bist, und dann verschwindest du. Die Cola geht auf Kosten des Hauses."

„Das ist ein *Cuba libre*."

„Gut, dann eben der *Cuba libre*."

Sie legte ihren Kopf auf die verschränkten Arme und schnitt eine Grimasse.

„Was ich will? Mit dir reden! Ich weiß, daß du Zacarías suchst. Hab's neulich von einem Freund meiner Mutter gehört, auf einer dieser blöden Parties, zu denen wir immer eingeladen werden. Ich bin die Tochter von Valeriano Cazzo", fügte sie grinsend hinzu.

„Ich dachte, das Trauerjahr dauert zwölf Monate."

„Na ja, es war keine richtige Party. Wir sind zum Tee eingeladen worden, aber dann wurd's doch 'ne Party. Ich fand's zum Kotzen, aber meine Mutter will immer, daß ich mitgehe."

„Hör auf mit dem Blech und sag mir, was du von mir willst."

Sie senkte die Stimme.

„Ich will dir Informationen über Zacarías geben."

„Nämlich?"

Sie kam mit ihrem Kopf näher. Das Parfüm, das sie benutzte, duftete nach Zitronen.

„Ich weiß, wo er wohnt."

„Ach ja?"

„Überrascht dich das?"

„Warum erzählst du mir das?"

„Du hast einen der Mörder meines Vaters erschossen. Muß wie im Film gewesen sein, stimmt's? Hast du immer 'ne Pistole bei dir?"

„Moment! Was erzählst du da?"

„Hast auf dem Boden gelegen und ihn erwischt! Peng, peng, peng!"

„Halt mal für'n Moment die Klappe und antworte: Woher weißt du, wo Zacarías wohnt?"

„Er wohnt bei seiner Mutter", flüsterte sie mir zu und sah sich um. „Hat's nie jemandem erzählt, aber ich weiß es, und ich weiß auch, wo seine Mutter wohnt."

„Du bist ein schlaues Mädchen. Was hat dir der Chauffeur getan?"

Sie zuckte die Achseln.

„Nichts."

„Aber ihr habt ihn entlassen."

„Das ist Mamas Sache."

„Tja... Was anderes: Von wem hast du gehört, daß ich den Chauffeur suche?"

„Hab ich dir doch schon gesagt! Bist du aber begriffsstutzig! Von Freunden meiner Mama!"

„Von welchen Freunden?"

„Also..."

„Céspedes?"

„Ich glaub, ja. Doch, ich glaub, es war Carlos. Gehst du unseren Chauffeur suchen? Und dann bringst du ihn zur Polizei? Vielleicht kriegst du 'ne Belohnung!" Sie lachte wieder. „Dann mußt du sagen, daß ich dir geholfen habe, ja?"

Einer der Jungen rülpste, die andern wollten sich totlachen. Das Mädchen war sich ihrer Wirkung voll bewußt.

„Er wohnt in dem Viertel La Luz", fügte sie hinzu, „wo genau, weiß ich nicht. Gegenüber ist ein Café, *Casa Felipe*. Gehst du hin? Schnapp ihn dir und gib ihm, was er verdient."

„Du hältst wohl viel von Hausangestellten, was?"

Sie verzog ihr hübsches Schnütchen.

„Der verdammte Idiot", murmelte sie, wie in Gedanken.

„Also gut, meine Süße, das hätten wir. Und jetzt verschwinde, bevor die von der Streife reinkommen und ein Gläschen trinken."

Sie warf den Kopf in den Nacken.

„*Ich* gehe, wann *ich* will!"

„Glaub nicht, daß dein Fanclub sich freut, wenn ich dich raustrage."

Sie sprang auf. Ihre Nasenflügel bebten.

„Scheißtyp!" schrie sie. „Für wen hältst du dich?"

„Los, verschwinde."

Sie nahm ihre Strohtasche von der Stuhllehne und stolzierte erhobenen Hauptes und mit schwingenden Hüften hinaus. Ihre vier Bewunderer trabten unter Kriegsgeheul hinter ihr her.

Blas kam zu mir, in der Hand ein Tablett, auf dem zwei Gläser mit einem grünen Getränk standen.

„Was hast du gemacht?"

„Rausgeschmissen hab ich sie, sie ist noch keine achtzehn."

„Scheiße, Toni, so schlimm war's doch nicht. Scheint 'n heißes Teil zu sein, die Kleine!"

„Genau das ist sie."

Ich ließ ihn stehen und schlenderte zur Garderobe. Lidia rauchte, ohne zu inhalieren. Zog nur hastig an der Zigarette, wobei sich der Filter von ihrem Lippenstift rot färbte. Ich nahm mein Glas von der Theke und trank es in einem Zug leer.

Nicht daß Lidia häßlich wäre! Sie hat einen Körper, den man sich zweimal ansehen kann, volle, sinnliche Lippen und schwarzes Haar. Sie weiß genau, daß das Beste an ihr ihr Hintern ist, und trägt deshalb Hosen, die ihr zwei Nummern zu eng sind. Wenn es aber jemand wagt, von ihren achtunddreißig Jahren zu sprechen, bringt sie ihn um.

„Was wollte die Kleine, Toni?" fragte sie möglichst gleichgültig.

„Nichts Besonderes. Übrigens ist sie sechzehn, nicht zwanzig."

Schweigend zog sie wie wild an ihrer Zigarette. Das Lokal war nicht sehr voll, aber im Laufe der Nacht würden noch mehr Gäste kommen. Jetzt beherrschten die Jugendlichen das Bild. Nach halb zwei würden die Profis der Nacht auftauchen, und um drei Uhr, kurz vor Schluß, die Zuhälter von Montera mit ihren Miezen. Das hieß, so von halb zwei bis vier mußte ich tatsächlich arbeiten.

„Toni."

„Ja?"

„Tut mir leid."

„Was?"

„Was ich eben gesagt habe. Das mit dem Büro und den Eis-würfeln. War nicht sehr anständig von mir."

„Ach, ist doch egal. Nicht jeder hat schließlich ein Kinder-mädchen, das sich um die Erziehung kümmert."

„Was?"

„Nichts, hab nur laut gedacht."

11

Ich stieg aus dem Taxi und ging auf ein schmiedeeisernes Tor zu, an dem ein Schild mit weißen Buchstaben prangte: *„La Pértiga"*. Die Villa befand sich am Ende einer Allee. Aus den Vorgärten stieg mir der Geruch von feuchter Erde und Blumen in die Nase. Diese Leute ließen sich den Kubikmeter sauberer Luft einige tausend Pesetas kosten.

Ich steckte die Hand durch das Torgitter und schob den Riegel zurück. Ein Weg mit Steinplatten führte über den Rasen, vorbei an Blumenbeeten und einem Swimmingpool, aus dem das Wasser abgelassen war. In den Bäumen flatterten Vögel, und das Schieferdach der Villa glänzte in der Sonne.

Cazzos Tochter saß auf einem weißen Regiesessel an einem Tisch, auf dem eine Kaffeekanne und Tassen standen. Sie trug einen schlichten blauen Rock und eine gleichfarbige Bluse mit weißen Tupfen. Das Mädchen sah aus wie die Unschuld in Person.

Als ich näherkam, hob sie den Blick von den Karten, über die sie sich gebeugt hatte.

„Was machst du denn hier? Was willst du?" fragte sie ärgerlich.

„Ich würde gerne mit deiner Mutter sprechen."

„Warum das denn?"

„Weil ich neugierig bin."

Achselzuckend wies sie zum Haus.

„Da drin wimmelt's von Journalisten. Die machen ein Interview mit ihr, fürs Fernsehen."

Sie mischte die Karten und legte sie in einer Reihe auf den Tisch. Dann hielt sie mir eine Karte vor die Nase. Es war der Herzkönig.

„Merk sie dir", forderte sie mich auf.

„Ja."

Sie mischte die Karten und legte sie wieder in einer Reihe auf den Tisch.

„Na, wo ist der Herzkönig jetzt?"

„In meinem Viertel wissen die Kinder schon bei der Geburt, wie 17 + 4 gespielt wird. Ganz links liegt der Herzkönig."

Das Mädchen drehte die Karte um.

„Wie hast du das gemacht?"

„Hab ich dir doch schon gesagt. Außerdem darfst du nicht auf die Karten sehen. Guck dem andern in die Augen, dann klappt's besser."

Sie mischte wieder die Karten.

„Also, ich muß dir in die Augen sehen, ja?"

„Ja."

Ich ließ das Mädchen alleine weiterspielen und ging zum Hauptportal. Die Wohnfläche der zweistöckigen Villa erstreckte sich über einen ziemlich großen Teil des Grundstücks. Dahinter lag ein noch größerer Garten mit einem Tennisplatz. Die Eingangstür stand offen. Aus dem Innern drang Stimmengewirr. Ich betrat die lichtdurchflutete Eingangshalle mit Parkettfußboden. Von der Decke hingen Schlingpflanzen. Ein Mann in Jeans und schwarzem Pullover lehnte an einer Wand und aß ein Sandwich. Er sah mich flüchtig an, aß dann aber ruhig weiter. Aus einem Trafo führten drei dicke Kabel nach nebenan. Dort standen Studiolampen im Halbkreis um ein leeres Sofa. Breite Fenstertüren verbanden den Salon mit dem Garten. Der Raum war in strengen Farbtönen gehalten, unterbrochen nur von wenigen modernen Flecken. Auf einem riesigen Bild, das eine der Wände beherrschte, erkannte ich Cazzo.

Ich mischte mich unter die Anwesenden. Ein kleiner Dikker schien vollauf mit einer *Arriflex* beschäftigt zu sein, die auf einem Stativ vor dem Sofa aufgestellt war. Neben ihm hockte ein Assistent vor einem Mischpult, Zigarette im

Mundwinkel. Niemand grüßte mich. Ich zündete mir eine Zigarette an.

Kurz darauf hörte ich Stimmen. Herein kam eine schlanke Frau mit aschgrauem Haar und einem blassen, ovalen Gesicht. In ihrem schön geschwungenen Mund blitzten weiße, gleichmäßige Zähne. Ein elegant gekleideter Herr mit gestutztem Schnäuzer folgte ihr, in der Hand einen Stapel Papiere. Die Frau setzte sich auf das Sofa.

„Wunderbar, Señora Cazzo, sehr gut so", sagte der Mann. Dann rief er dem Jungen mit Sandwich zu: „Ruiz, Licht!"

„Okay", rief der Junge zurück.

Die Scheinwerfer flammten auf und überfluteten den Raum wie eine künstlich beleuchtete Legebatterie.

„O. k.?" fragte der elegante Herr die anderen.

„O. k.", antworteten diese.

Der Elegante setzte sich neben Señora Cazzo aufs Sofa. Die Frau trug ein perlgraues Kostüm und eine weiße Bluse mit Kragen. Sie hatte die Beine schräggestellt, ihre langen Hände ruhten auf dem Schoß.

„Heben Sie bitte noch etwas den Kopf."

„So?" fragte die Frau.

„Ja, sehr gut, danke." Der Elegante lächelte ihr zu. „Wir machen da weiter, wo wir eben abgebrochen haben, ja?"

Die Frau nickte.

„Kamera ab!"

„Kamera läuft!" antwortete der kleine Dicke.

Señora Cazzo sprach sehr langsam und deutlich und lächelte die ganze Zeit traurig in die Kamera. Der elegante Herr neben ihr sah sie mit ernstem Gesicht an.

„Meine einzige Sorge gilt meiner Tochter Catalina, dem Unternehmen und der Arbeit…" Hier zitterte ihre Stimme leicht, „…meines Mannes in der Partei. Gott sei Dank habe ich fähige Mitarbeiter, die mir behilflich sind. Ohne sie könnte ich's nicht schaffen." Sanftes Lächeln. „Ihnen gilt mein größter Dank. Sie haben mir sehr geholfen und stehen mir weiterhin jeden Tag bei."

Der Elegante blickte in die Kamera.

„Doña Clara – Sie erlauben doch, daß ich Sie so nenne?" Sie nickte lächelnd. „Doña Clara ist eine starke, tapfere Frau. Sie lehnt es ab, ihre Hände in den Schoß zu legen und sich ihrem Schmerz hinzugeben. Sie zieht es vor, zu arbeiten, weiterzukämpfen, beharrlich ihren Weg zu gehen. Vielleicht muß sie oft die Zähne zusammenbeißen, um nicht zu schluchzen; aber besiegen läßt sie sich nicht von ihrem Schicksal. Señora Cazzo besitzt eine starke Natur. Sie gehört zu den Frauen Spaniens, auf die wir alle so stolz sind." Er wandte sich ihr wieder zu. „Doña Clara Bustamante, erlauben Sie mir bitte eine Frage, die Sie sicher schmerzen wird. Die Mörder Ihres Gatten, des großen Valeriano Cazzo, wollten nicht nur sein Leben, das er ganz in den Dienst des Nächsten gestellt hatte, zerstören, sondern auch eine beispielhafte Familie wie die Ihre und, wenn Sie mir diese Bemerkung erlauben, ganz Spanien. Unser Spanien, das nicht aufhört, seine Toten zu beweinen. Sagen Sie mir bitte, Doña Clara, was denken Sie über diese hinterhältigen Terroristen, die Ihren Gatten getötet haben?"

Langer Blick in die Kamera, sanftes Niederschlagen der Augen, trauriges Lächeln.

„Diese Familie werden sie niemals zerstören können, genausowenig wie sie Valeriano getötet haben." Tremolo in der Stimme. „Valeriano lebt, er lebt in uns weiter, im Kreise seiner Familie, seiner Freunde und Mitarbeiter, seiner Parteifreunde. Immer noch erhalten wir Briefe von einfachen Menschen, die uns Mut machen, unsere Arbeit fortzusetzen… Ihnen allen Dank, vielen herzlichen Dank." Langer Blick zum Interviewer. „José Luis, ich bin ein unpolitischer Mensch, von Politik verstehe ich nichts. Aber… aber was sie mit Valeriano gemacht haben und mit vielen anderen Männern und Frauen Spaniens, mit Dienern Spaniens, das ist bestialisch, das ist… dafür gibt es keinen Namen, keine Bezeichnung…" Kurzer erstickter Schluchzer. „Entschuldigen Sie, José Luis, die Erinnerung… Ich vergebe den Mördern als Christin, aber…"

„Wir verstehen Sie, wir verstehen Sie voll und ganz. Rühren wir nicht mehr an dieser furchtbaren Wunde. Wir wollen jetzt lieber mit Ihrer bezaubernden Tochter sprechen, mit Ihrer Catalina. Ein junges Mädchen, so schön und tapfer wie ihre Mutter."

Der Interviewer winkte mit der Hand wie zum Gruß, worauf der Kameramann „Kamera aus!" brüllte. Die Frau stieß einen tiefen Seufzer aus und stand auf.

„Wie war ich, José Luis?"

„Wunderbar, Clara. Können wir jetzt Katia reinholen?"

„Ja, sie ist im Garten."

„Ruiz! He, Ruiz! Ruf das Mädchen rein!"

„O. k.", antwortete der an der Tür und verschwand.

„Ein Bierchen?" fragte die Dame des Hauses.

„Nein, danke", antwortete der Elegante mit dem Schnäuzer. „Wir machen sofort weiter."

„Soll ich lauter sprechen?"

„Nein… Alles gut draufgekommen?" fragte der Interviewer den Tontechniker.

„Einwandfrei", antwortete der.

Cazzos Tochter kam lächelnd in den Salon.

„Was hab ich zu tun?" fragte sie in die Runde.

„Du kommst durch den Raum und setzt dich neben deine Mutter auf den Boden. So!"

Der Interviewer ging durch den Salon und setzte sich Señora Cazzo zu Füßen, was ihm einige Mühe bereitete. Dann stand er wieder auf.

„Hast du's dir genau angesehen?"

„Ja", antwortete das Mädchen.

„Gut. Weißt du, was du zu sagen hast?"

„Klar!"

„In Ordnung, wenn du also hörst ,Kamera ab!', gehst du los. O. k.?"

„O. k."

Der Interviewer setzte sich wieder neben Señora Cazzo

aufs Sofa. Die Frau machte ein zerstreutes, gelangweiltes Gesicht. Jetzt ordnete sie ihr Haar und hüstelte.

„Ich bin soweit, José Luis."

Sie lächelte ihrer Tochter entgegen.

„Kamera ab!"

Man hörte wieder das Surren der *Arriflex*. Katia ging zum Sofa und kniete sich neben ihre Mutter auf den Boden. Dann legte sie ihren Kopf auf den Schoß von Doña Clara und sah den Interviewer an. Ihre Mutter strich ihr übers Haar.

„Wie geht es dir, Catalina?" fragte der Interviewer.

„Gut."

„Mußt du in diesem Halbjahr fleißig lernen?"

„Ja."

„Catalina absolviert den COU. Sie ist eine sehr gute Schülerin. Was willst du nach dem Abitur studieren?"

„Jura, wie mein Vater." Mutter und Tochter lächelten sich zu. „Oder Medizin. Ich weiß es noch nicht genau."

„Vor einiger Zeit wollte sie Journalistin werden", warf Señora Cazzo ein.

„Na, davon möchte ich dir abraten", sagte der Interviewer lächelnd. „Jura ist da schon besser."

„Ja, ich glaube, ich werde Jura studieren."

„Wenn du die Prüfung schaffst", bemerkte ihre Mutter.

„Ich werd's schaffen, Mama, du wirst schon sehen."

„Ganz bestimmt", sagte der Interviewer. „Catalina ist ein junges Mädchen, das alles erreicht, was es sich vornimmt. Ganz sicher wird sie das Abitur bestehen und im kommenden Jahr mit dem Jurastudium beginnen. Die Gerichte werden vor ihr zittern, stell ich mir vor."

„Sie ist sehr ehrgeizig, wie Valeriano…" bemerkte die Mutter.

„Vielen Dank, Señora Cazzo! Vielen Dank, Katia…"

„Bitte", sagte Katia.

„Vielen Dank", murmelte ihre Mutter.

Der Interviewer sah in die Kamera.

„Das war ‚Nach dem Kaffee', mit José Luis Bello. Heute im

Hause der Familie Cazzo. Traurig, aber tapfer und stark im Leid. Morgen besuchen wir vielleicht Ihr Heim, lieber Zuschauer, immer auf der Suche nach interessanten Berichten. Geben Sie acht, vielleicht sind wir unterwegs zu Ihnen nach Hause."

Noch ein Lächeln.

„Kamera aus!"

Der Interviewer stand auf und rückte die Krawatte zurecht. Der Tontechniker und der Kameramann hantierten mit ihren Geräten. Die Studiolampen wurden ausgeschaltet.

„Gut", sagte der Elegante. „Das war's, gehn wir."

„Wann wird gesendet?" erkundigte sich Doña Clara.

„Morgen um drei, in ‚Nach dem Kaffee'."

„Wir verpassen keine Folge, die Sendung gefällt uns sehr."

„Vielen Dank." Der Interviewer lächelte. Dann fragte er seine Leute: „Alles klar?"

„Ja", antwortete der Mann, der für das Licht verantwortlich war.

Er klappte die drei Lampen zusammen und trug sie hinaus. Dann rollte er die Kabel auf.

Ich hatte die ganze Zeit über in einem der Sessel gesessen, ohne daß irgend jemand meine Anwesenheit bemerkt hätte. Señora Cazzo nahm ein Glöckchen von einem lackierten Holztisch und läutete.

„Ich geh jetzt", sagte ihre Tochter.

„Ja, *adiós*", antwortete die Mutter geistesabwesend.

Eine reifere Frau in Dienstmädchenkleidung kam herein und trippelte schüchtern durch den Salon.

„Señora?"

„Sie und Rafael helfen den Männern hier ein wenig, Felicia."

„Ja, Señora."

„Ach, das ist doch nicht nötig", sagte der elegante Herr.

„Oh doch, doch! Sie haben Ihren Wagen so weit weg geparkt!"

„Vor der Villa nebenan", sagte der Mann, der die Kabel aufrollte. „Haben uns in der Hausnummer geirrt."

„Ja, die Häuser sehen ziemlich gleich aus", sagte Doña Clara.

„Also, wenn Sie mich jetzt entschuldigen... Ich muß mich umziehen."

Lächelnd gab sie dem eleganten Herrn die Hand. Dann ging sie durch eine der Glastüren hinaus. Das Dienstmädchen und ein Mann in Hemdsärmeln halfen beim Einladen der Geräte, und das Fernsehteam verließ die Villa.

Ich blieb alleine im Salon sitzen. Kurz darauf kamen die beiden Bediensteten zurück. Als sie mich in dem Sessel sahen, verstummten sie.

Ich wartete. Nach einer halben Stunde kam Cazzos Witwe zurück in den Salon. Sie trug eine enge Kordsamthose und ein blaues, schwarzgefüttertes Cape. Auch ihre Frisur hatte sie verändert. Sie war zwar nicht das, was man eine betörende Frau nennt, aber trotz ihrer weit über vierzig Jahre war sie noch mehr als gut erhalten.

Erstaunt sah sie mich an.

„Wer sind Sie?" fragte sie. „Ich dachte, Sie wären schon weg. Haben Sie was vergessen?"

Ich stand auf.

„Ich gehöre nicht zu den Journalisten, Señora Cazzo. Mein Name ist Toni Romano. Ich möchte mit Ihnen reden."

„Toni Romano? Wer sind Sie, was wollen Sie?"

„Nur ein wenig mit Ihnen plaudern. Vor einiger Zeit habe ich das hier von Ihnen bekommen."

Ich reichte ihr das Schreiben, das sie mir geschickt hatte. Sie überflog es und sah mich dann stirnrunzelnd an.

„Also, ich weiß wirklich nicht, wer Sie sind... Und jetzt entschuldigen Sie mich bitte, ich habe eine Verabredung. Sie werden verstehen..."

„Ich war im *Gavilán*, als Ihr Gatte ermordet wurde, Señora Cazzo. Erinnern Sie sich jetzt?"

„Ach ja!" rief sie wenig begeistert. „Ich erinnere mich... Und, was wollen Sie? Geld? Ja, wirklich, ich hätte Ihnen etwas zukommen lassen sollen, eine Belohnung, ein Geschenk...

Wo hab ich nur meine Gedanken gehabt! Ich habe so schrecklich viel zu tun... Aber... Sagen Sie mir doch endlich, was Sie möchten! Wie gesagt, ich habe nicht viel Zeit."

Sie stand neben mir, groß, angenehm duftend. Sie verschränkte die Arme und wiederholte:

„Los, sagen Sie, was Sie wollen."

„Es geht um Ihren Chauffeur. Sie haben ihn kurz nach dem Tod Ihres Mannes entlassen. Die Polizei sucht ihn. Was war los mit diesem Chauffeur, Señora?"

„Mit Zacarías?... Also, ich weiß wirklich nicht, was Sie das angeht. Sind Sie von der Polizei?"

„Nein, ich *war* bei der Polizei."

Ihr Gesicht nahm einen mürrischen Ausdruck an.

„Wir haben der Polizei über alles, was mit Zacarías zu tun hat, Auskunft gegeben. Der Beamte hieß so ähnlich wie..."

„Frutos."

„Ja, Frutos. Ein schrecklicher Mensch, der sehr schlecht roch. Ihm haben wir alles über Zacarías gesagt."

„Kennen Sie einen gewissen Céspedes?"

„Carlos? Natürlich kenne ich Señor Céspedes. Er ist ein langjähriger Freund von uns... aber ich wüßte nicht, Señor..."

„Romano."

„Ach ja, Romano... Ich wüßte nicht, was Sie das angeht."

„Céspedes hat die Polizei über Zacarías informiert, Señora Cazzo. Anscheinend hat ihr ehemaliger Chauffeur der Leiche Ihres Mannes etwas aus der Tasche genommen. Etwas, wonach alle suchen, als wär's der Schlüssel zu der ganzen Geschichte."

„Ja, das weiß ich. Die Polizei unterrichtet mich regelmäßig über den Fortgang ihrer Ermittlungen. Mich überrascht nichts, was Zacarías getan hat, aber auch gar nichts. Er ist ein furchtbarer Mensch, schlecht erzogen... ein Dieb." Sie wurde ungeduldig. „Also dann, Señor Romano, es war nett, Sie kennengelernt zu haben..." Sie reichte mir die Hand.

„Aber jetzt muß ich gehen. Ich danke Ihnen für alles, was Sie für uns getan haben."

Eilig verließ sie das Haus. Ich folgte ihr langsam. Das Dienstmädchen reiferen Alters stand an der Tür.

„Was hat Zacarías denn getan?" fragte ich sie.

Die Frau wurde blaß.

„Wie bitte?"

„Der Chauffeur! Warum ist er entlassen worden?"

„Ich weiß es nicht, Señor. Ich weiß gar nichts."

Sie hatte ein altes, faltiges Gesicht. Ihre Fettpolster beulten die Kleidung aus. Dabei war sie nicht viel älter als ihre Chefin. Ich grüßte sie und trat hinaus in den Vorgarten. Auf dem Tisch lagen noch die Karten neben dem Frühstücksgeschirr, aber das Mädchen war verschwunden.

Behutsam schloß ich das Eisentor hinter mir.

12

Die Straße hörte mit einem Schlag auf, so als hätten sie keine Lust mehr gehabt, weiterzubauen. Zu beiden Seiten ragten kreuz und quer billige Wohnblocks wie riesige Schuhkartons auf. Weiter hinten standen zehn, zwölf Häuschen verstreut auf einem staubigen Gelände, das bis zum Paseo de Estremadura reichte.

Ich bezahlte das Taxi und ging über den staubigen Weg zu einem Brunnen, vor dem eine Frau mit einem kaffeebraunen Kind stand und ihren Wassereimer füllte.

„Wissen Sie, wo Zacarías Sánchez wohnt?" fragte ich sie.

Sie machte eine scheue Bewegung, wie ein gehetztes Tier. Ängstlich preßte sie das Kind an sich. Die Haut ihrer Hand war aufgesprungen.

„Der Chauffeur?" fragte sie.

„Ja, der. Er soll hier irgendwo wohnen."

„Gegenüber dem Café", sagte sie leise.

Das Café sah aus wie ein altes Straßenwärterhaus. Es war knallrot angestrichen und hieß *Casa Felipe*. In der Tür stand ein Mann und sah mich an. Das niedrige Häuschen gegenüber war von einem Holzzaun umgeben.

„Da?" fragte ich die Frau.

„Ja, Señor."

„Wissen Sie, ob er zu Hause ist?"

Sie zuckte nur die Achseln, nahm ihren vollen Eimer und ging, behindert durch sein Gewicht, schwankend fort. Sie war noch jung, hatte aber offensichtlich schon einige schwere Jahre hinter sich.

Das Häuschen gegenüber dem Café war aus verschiedenartigen Steinen gebaut und mit Zinkblechen gedeckt. Es bestand nur aus dem Erdgeschoß, klebte fast am Boden, so unglaublich niedrig war es.

Ich stieß das Törchen auf und ging durch den kleinen Vorgarten, in dem überall Gerümpel rumlag. Aber es wuchs auch ein Weinstock. An der niedrigen Tür hing ein Herzjesubild mit dem Spruch: „Gott segne jeden Winkel dieses Hauses."

Ich klopfte kräftig. Drinnen näherten sich schlurfende Pantoffeln. Eine alte, dicke Frau öffnete die Tür. Während sie sich mit einem Lappen die Hände trocknete, musterten mich ihre geröteten, wimpernlosen Augen. Sie hatte das gleiche quadratische Kinn wie Cazzos Chauffeur.

„Was wollen Sie?" fragte sie.

„Ich möchte mit Ihrem Sohn sprechen, Señora."

Der Schrecken veränderte ihren Gesichtsausdruck.

„Er ist nicht hier."

„Ich bin nicht von der Polizei, Señora. Ich möchte nur mit ihm reden."

Sie schüttelte den Kopf.

„Er ist nicht hier."

„Wo kann ich ihn treffen?"

„Wer sind Sie?"

„Ein Bekannter von Ihrem Sohn. Ich muß mit ihm reden."

„Aber er ist nicht hier."

„Das habe ich begriffen. Wo kann ich ihn treffen? Wo arbeitet er?"

„Er ist Chauffeur bei Herrschaften in Madrid."

„Er ist vor kurzem rausgeschmissen worden. Wußten Sie das nicht?"

„Hat mein Zacarías was angestellt?"

„Nein, Señora, nicht daß ich wüßte. Ich hab Ihnen doch schon gesagt, ich bin kein Polizist. Sagen Sie mir, wo ich ihn treffen kann."

„Er sagt nie, wo er hingeht. Hab ihn schon lange nicht mehr gesehen, Señor. Warum glaubt mir denn niemand?"

„Hat schon jemand anders nach Zacarías gefragt?"

Die Alte antwortete nicht, sah mich mit dieser Mischung

aus Angst und Respekt an, die einfache Leute vor einem Beamten oder vor der Polizei zeigen. Gleichzeitig versperrte sie mit ihrem Körper die Türschwelle, um deutlich zu machen, daß hier niemand ohne Erlaubnis eintreten dürfe.

„Ich glaub Ihnen ja", sagte ich. „Aber bestellen Sie Zacarías bitte, daß Toni Romano mit ihm sprechen will."

Die Alte schloß die Tür. Ich hörte, wie Riegel vorgeschoben wurden. Ich ging durch das Gartentörchen wieder aufs freie Feld. Der Typ von vorhin stand immer noch vor dem Café. Ich ging zu ihm.

Er war rund wie eine Tonne, runder Körper, runder Kopf. Beine und Arme schienen nur aus Versehen angewachsen zu sein. Unbeweglich wie eine Statue stand er da und rauchte. Seine hervorstehenden Augen glotzten mich an. Über seinem Froschmaul befand sich ein schwarzer Strich, was er wohl „Schnäuzer" nannte. Er bewegte sich auch nicht, als ich an ihm vorbei in das Café ging.

Das dämmrige Lokal war ein Café und Lebensmittelgeschäft in einem. An einem Tisch in der Ecke saß ein finsterer Alter vor einem leeren Glas.

Ich stellte mich an die Theke. Der Wirt löste sich vom Türrahmen, schlich hinter die Theke und sah mich an.

„Was wünschen Sie?" fragte er.

„Kaffee."

„Kaffee", wiederholte er, rührte sich aber nicht und musterte mich. Schließlich drehte er mir den Rücken zu und bediente seufzend die Kaffeemaschine.

„Nicht viel los, was?" begann ich.

„Nein."

Er stellte den Kaffee auf die Theke. Ich tat Zucker hinein und rührte um.

„Zacarías kommt erst später, oder?"

„Falls er überhaupt kommt. War schon lange nicht mehr hier."

Ich zündete mir eine Zigarette an. Der Wirt stand da und sah mir zu.

„Schon wieder einer, der nach ihm fragt", bemerkte er.

„Waren schon andere wegen ihm hier?"

„In letzter Zeit, ja."

„Und?"

„Haben ihn nicht angetroffen."

„Ich muß aber mit ihm reden. Werd auf ihn warten."

„Der wohnt gar nicht mehr hier." Er räusperte sich und spuckte neben sich auf den Boden. „Ich glaub, er ist umgezogen. Kommt nur noch ab und zu seine Mutter besuchen. Die liebt er nämlich abgöttisch." Und leise fragte er: „Ist was mit ihm?"

Ich zuckte die Achseln.

„Ich kenn einen Freund von ihm."

„Ach!"

„Er soll 'n guter Chauffeur sein, hab ich gehört."

„Hat seinen Job aber an den Nagel gehängt."

„Hab ich auch gehört."

„Ist 'n komischer Vogel. Spricht nie. Ich kenne ihn, seit er mit seiner Mutter hierhergekommen ist... aus Jaén oder Córdoba, ich weiß nicht mehr. Damals war er noch 'n Kind."

„Daß er komisch ist, hab ich aber nicht gehört."

„Doch, ist er", beharrte der Wirt, „'n ganz Komischer. Anscheinend geht's ihm jetzt besser. Hat seiner Mutter 'ne Wohnung gekauft, sie wird auch bald umziehen. Hier wohnen ist das Letzte."

Er spuckte wieder.

„Find ich auch."

„Ach ja?"

„Ja. Aber im Moment interessiert mich nur eins: Wo wohnt er?"

„Das weiß kein Mensch."

„Sie kennen ihn doch ganz gut, oder?"

„Ziemlich."

„Hat wohl 'n guten Job, stimmt's?"

„Tja... Kohle hat er... Hab ich gehört, denn er selbst... wie gesagt, schweigsam wie'n Grab."

„Und wo kann ich ihn treffen?" fragte ich wieder.

„Keine Ahnung."

Er warf seine Kippe auf den Boden und trat sie aus.

„Aber Sie könnten's doch rauskriegen, oder?" fragte ich.

„Kommt drauf an."

Ich holte einen Fünfhunderter raus und legte ihn unter die Kaffeetasse. Er sah nach links und rechts, steckte den Schein ein und kam mit seinem fettigen, stinkenden Kugelkopf näher.

„Hab gehört, er ist ins Drogengeschäft eingestiegen."

„Von wem?"

„Wird erzählt."

„Wo kann ich ihn treffen?"

Ich gab nicht auf.

„Weiß ich nicht." Er schielte mich mißtrauisch an. „Offiziell wohnt er noch hier, läßt sich aber nur selten blicken."

„Das ist keine fünfhundert wert."

Der Wirt seufzte.

„Ich könnte vielleicht noch mehr rauskriegen", flüsterte er.

„Ja?"

„Ja."

„Wann?"

„Kommen Sie morgen mittag wieder. Ich laß die Hintertür auf. Wir treffen uns da drin", fügte er verschlagen hinzu.

„Gut."

„Das kostet noch mal tausend extra."

„Ach ja?"

„Ich weiß nicht, ob ich rauskriegen kann, wo er wohnt. Wird schwer werden." Er verzog den Mund zu einem Lächeln. „Ich will die Kohle sofort."

Ich nahm einen Grünen raus und schob ihn über die Theke.

„Wenn ich morgen wiederkomm, will ich dafür aber was hören. Sonst wirst du ganz schnell ganz schlank."

„Keine Sorge! Werd mich umhören."

Jetzt war ich mit Lächeln an der Reihe.

„Das rat ich dir auch!"

„Der Kaffee geht auf Kosten des Hauses", sagte er.

Ich drehte mich um und ging hinaus. Der Alte saß immer noch in der Ecke und starrte in das Nichts in seinem Glas.

Mit dem Taxi fuhr ich ins Zentrum. Zum Essen war es schon zu spät. Das *Danubio* hatte schon dichtgemacht. Es war kurz nach fünf. Ich ging zum *Abuelo* und gönnte mir drei Portionen Garnelen. Was ich zu feiern hatte, wußte ich selbst nicht so richtig.

Eine Stunde später stieg ich die Treppe zum *Luna de Medianoche* hinunter, winkte Lidia zu und ging weiter zu den Toiletten. Lidias Mutter döste auf ihrem Stuhl vor sich hin. Als sie mich hörte, schreckte sie hoch.

„Was?... Ach, du bist's! Wie geht's?"

„Gut", antwortete ich.

Ich schloß das Kellnerzimmer auf und verschwand darin. Ich öffnete meinen Spind, schob den Stapel sauberer Hemden zur Seite und griff in die Konservenbüchse mit der 38er Munition. Ich nahm sechs Patronen heraus und lud meinen *Gabilondo*. Dann steckte ich ihn wieder ins Futteral und legte ihn zurück in den Schrank.

Diesmal wachte die Alte nicht auf. Oben sagte Lidia mit besorgter Miene zu mir:

„Der Chef will mit dir sprechen, Toni."

„Was will er denn?"

„Weiß ich nicht, aber ich glaub, er ist wütend wegen der Schlägerei neulich. Du sollst sofort zu ihm raufkommen, hat er gesagt."

„Wegen welcher Schlägerei?"

„Keine Ahnung. Blas hat's mir gesagt." Lidia beugte sich über die Theke zu mir. „Hast du was verbrochen?"

„Werd ja gleich hören, was er will."

„Sei vorsichtig, Toni! Hast du Ärger? Du siehst so besorgt aus..."

„Nein, alles in Ordnung. Und hier?"

„Wie immer."

Die Diskothek war voll von Leuten, die ihre Gläser in der Hand hielten und sich gestenreich verständigten. An diese Atmosphäre werd ich mich nie gewöhnen können.

Ich ging nach oben ins Büro. Schon mehrmals war ich beim Chef gewesen. Einmal, als ich eingestellt wurde, dann mit Lidia, als wir uns kennengelernt hatten und schließlich ein paarmal nur, um ein wenig zu schlafen.

Ich klopfte an die Tür. Julito rief: „Herein!"

Das Schlimme an Julito war, daß er sich für einen tollen Burschen hielt. Vielleicht war er's ja auch ... bei seiner Frau und dem Dienstmädchen. Er war so um die fünfunddreißig, schlank, mittelgroß, kräftig, immer braungebrannt und immer sportlich gekleidet. An der linken Hand fehlten ihm zwei Finger.

Er saß hinter seinem Schreibtisch. Mit einer Bewegung seiner intakten Hand forderte er mich zum Sitzen auf.

„Setz dich, Toni."

„Ich stehe lieber, Julito." Er mochte es nicht, wenn man ihn Julito nannte. „Erzähl. Was willst du?"

Er sah mich an. Das nannte er einen kalten Blick.

„Zweierlei. Erstens: Ich bezahl dich nicht, damit du erst so spät kommst. Wenigstens anrufen könntest du, wenn du dich verspätest. Klar? Und zweitens: Die Schlägerei, die du neulich inszeniert hast. Fandest du das in Ordnung? Du bist hier, um die Leute davon abzuhalten, sich zu prügeln, und nicht, um sie zu provozieren. Ein Glück, daß ich Morales vom Kommissariat kenne! Ich weiß nicht, was sonst passiert wär! Die sind imstande, das Lokal dichtzumachen! Hast du gehört?" Er musterte mich eine Weile, die Kinnladen fest aufeinandergepreßt. „Werd mich wohl nach einem neuen Aufpasser umsehen müssen. Durch dich hab ich nichts als Ärger. Du verdienst das Geld nicht, das ich dir zahle."

„Sonst noch was, Julito?"

„Am Ende des Monats kannst du gehen."

„So lange warte ich nicht. Ich geh sofort. Mach den Scheck fertig."

„Ausgezeichnet, hau bloß ab!" Er gähnte. „Ruf mich morgen an, mal sehen, ob ich dir dann den Scheck ausstelle."

„Ich will ihn jetzt sofort, Julito."

„Oh nein, Mann, nein! Morgen, jetzt hab ich zu tun. Was denkst du dir eigentlich?"

„Ich glaub, du hast mich nicht richtig verstanden, Julito. Ich hab gesagt, daß ich den Scheck sofort will! Weil... wenn du ihn mir nicht sofort gibst, brauchst du 'n neuen Personalausweis. Nachdem ich dir nämlich das Gesicht umgepreßt hab, erkennt dich nicht mal mehr deine Familie wieder."

Ich trat einen Schritt näher. Unwillkürlich wich er in seinem Sessel etwas zurück. Wahrscheinlich fragte er sich, ob ich tatsächlich imstande wäre, ihm ein neues Gesicht zu verpassen. Die Antwort mußte wohl „Ja" lauten, denn seine Stimme zitterte.

„Ich muß erst ausrechnen, was ich dir schulde. Das läßt sich nicht so einfach machen."

Sein Atem ging schneller.

„Wer hat dir gesagt, daß du mich rausschmeißen sollst?"

„Ich laß mir von niemandem vorschreiben, wie ich mein Geschäft zu führen habe! Tatsache ist, daß ich gar keine bewaffnete Sicherheitskraft brauche. Blas kann genausogut aufpassen. Du stehst sowieso nur den ganzen Abend an der Garderobe und quatschst mit Lidia. Und zu allem Überfluß zettelst du noch 'ne Prügelei an mit... mit den Gästen von neulich. Aber damit du siehst, daß ich dir nicht böse bin, werd ich folgendes machen: Ich werde dich Freunden von mir empfehlen. Die brauchen einen Portier."

Nur selten steigt mir das Blut in den Kopf. In diesem Augenblick passierte es. Ich trat noch einen Schritt näher an den Schreibtisch. Hätte Julito eine Bewegung gemacht, nur eine einzige, ich hätte ihm die Visage mit meinen Fäusten bearbeitet. Lust hatte ich dazu. Großer Gott, wie satt ich ihn hatte!

Aber er wurde blaß. Unbeweglich wie eine Eidechse saß er vor mir. Julito war nur ein erbärmlicher Angeber, einer von denen, die glauben, sie wären ganze Männer, nur weil sie sich jeden Morgen rasieren und ein Zipfelchen Macht ergattert haben.

Er öffnete eine Schublade und holte sein Scheckheft heraus. Beim Schreiben zitterten ihm die Hände. Ich sah mir inzwischen das rote Sofa, das so groß war wie ein Bett, und die Fotos mit den Widmungen an.

„Also, hier, das sind so ungefähr... sagen wir neunzigtausend... Später rechne ich's genau nach." Lächelnd fügte er hinzu: „Du kannst ja morgen noch mal vorbeikommen und..."

„In Ordnung, mit neunzigtausend bin ich einverstanden."

Julito unterschrieb den Scheck und reichte ihn mir. Ich steckte ihn ein und ging zur Tür.

„Und komm nie mehr hierher", sagte er.

Ich drehte mich um.

„Hast du was gesagt, Julito?"

„Nein... nichts. *Adiós.*"

Ich ging hinunter, um mich von den anderen zu verabschieden. Sie schienen es geahnt zu haben. Wir versprachen, uns mal zu treffen und ein Gläschen zusammen zu trinken. Dann ging ich zu Lidia.

„Hat dich dieses Schwein rausgeschmissen?"

„Sieht so aus."

„So 'ne Scheiße, Toni! Was wirst du jetzt machen?"

„Mir weniger Nächte um die Ohren schlagen."

„Morgen ist Mittwoch, unser freier Tag. Wir könnten..."

„Ja, einverstanden! Wir essen zu Abend und feiern den Rausschmiß."

„Prima!"

„Dann um halb zehn bei Carmencita."

„Ja, gut, halb zehn."

Ich suchte meine Siebensachen zusammen und ging nach Hause.

13

Die Türklingel ließ mich aus dem Bett springen. Das gedämpfte, milchige Tageslicht drang durch die Jalousien der Balkonfenster. Es war halb eins. Barfuß ging ich zur Tür.

„Wer ist da?" fragte ich.

„Mach auf, ja?" sagte eine Frauenstimme.

„Moment!" brummte ich.

Ich ging zu meinem Bett zurück und verwandelte es in ein Sofa. Dann warf ich mir meinen Bademantel über. Es war der, den ich früher im Ring getragen hatte. Er war nicht mehr ganz neu, die dunkelblaue Seide war an einigen Stellen zerschlissen und ausgebleicht. Ich fuhr mir mit einem Kamm durchs Haar und öffnete schließlich die Tür.

Cazzos Tochter stand lächelnd vor mir. Sie trug einen hellblauen, sehr kurzen Übergangsmantel und hatte sich das Haar zu einem Knoten nach hinten gekämmt, was sie einige Jahre älter aussehen ließ.

„Hast du jemanden im Schrank versteckt, Señor Romano?"

Ohne eine Aufforderung abzuwarten, trat sie ein und schloß hinter sich die Tür. Mit dem typischen Blick einer Frau, die die Wohnung eines Junggesellen mustert, sah sie sich um.

„Hier wohnst du also?"

Sie stand mitten in meinem Wohnschlafzimmer, die Beine leicht gespreizt, die Hände in die Seiten gestemmt. Ihre Augen blitzten, sie sah aus wie ein reifer Apfel. Plötzlich wirbelte sie herum und schleuderte ihre Tasche aufs Sofa. Ebenso schnell zog sie ihren Mantel aus und warf ihn neben die Tasche. Ihr weißes Strickkleid war noch kürzer als der Mantel, vorne offen und von einem bunten Gürtel zusammengehalten. Sie trug weder Strümpfe noch einen Büstenhalter. Die kleinen erigierten Brustwarzen schimmerten durch den Wollstoff.

„Hab mir gedacht, daß du alleine lebst", bemerkte sie. „Oder soll ich dich lieber siezen?"

„Was willst du?" unterbrach ich sie.

Sie machte einen Schmollmund, wodurch sich im Kinn ein Grübchen bildete.

„Warum ziehst du dich nicht erst einmal an?" fragte sie. „Dann könnten wir einen Kaffee trinken... das heißt, wenn du mich einlädst..."

Ich ging zum Schrank, nahm Wäsche und Schuhe heraus und verschwand im Badezimmer. Das Mädchen hatte sich bereits aufs Sofa gesetzt und sich eine Zigarette angezündet.

Ich duschte mich schnell, rasierte mich und zog mich an: helle Hose, himmelblau kariertes Hemd und schwarze Strickkrawatte. Als ich aus dem Bad kam, sah das Mädchen sich gerade die eingerahmten Fotos an der Wand an.

„Bist du das?" fragte sie und zeigte auf Rocki Marciano in Kampfpose, ein Foto von 1950.

„Nein, ich bin der daneben."

„Damals warst du beinahe hübsch... als du noch jung warst... Übrigens, ich hab den Kaffee schon aufgesetzt."

Ich ging in die Küche und nahm die Kaffeekanne von der Platte. Dann stellte ich zwei saubere Tassen auf ein Tablett, zwei Papierservietten, die Zuckerdose, legte zwei Löffel daneben und brachte das Ganze in den Salon.

„Hier müßte mal ordentlich saubergemacht werden, Champion."

„Vorlaute kleine Mädchen kann ich nicht leiden."

„Du würdest mich doch nicht etwa verhauen?" Mit schlangenhaften Bewegungen kam sie auf mich zu. „Hm... Ohne Jackett siehst du wirklich kräftig aus."

Sie betastete vorsichtig meinen Oberarm. Ich goß den Kaffee ein und trank ihn in kleinen Schlucken. Wir standen nebeneinander. Ein zarter Parfümgeruch stieg mir in die

Nase. Wie das Mädchen schon im *La Luna* gesagt hatte: Sie konnte für zwanzig oder älter durchgehen.

„Wie schmeckt dir der Kaffee? Ist mir gut gelungen, nicht wahr?"

Ich goß nach und zündete mir eine Zigarette an.

„Jetzt sag mir endlich, was du willst."

„Gestern abend hab ich bis elf vor deiner Tür gewartet. Eine angemessene Uhrzeit für ein anständiges junges Mädchen, finde ich."

„Ja? Und was tun anständige junge Mädchen sonst noch? 17 + 4 spielen?"

„Ich hab bereits gelernt, Karten verschwinden zu lassen und dabei dem andern in die Augen zu sehen. Vielen Dank für deine Anleitung!" Sie schwieg eine Weile, fuhr dann mit heiserer Stimme fort: „Du gehörst nicht zu der Clique meiner Mutter. Was wolltest du bei uns zu Hause?"

Sie stellte ihre Tasse auf das Tablett und wischte sich so behutsam den Mund mit einer Serviette ab, wie man es nur auf teuren Schulen lernt. Dann lächelte sie wieder.

„Du antwortest nicht, Toni", stellte sie fest. „Was wolltest du von meiner Mutter?"

„Das geht dich nichts an, du dumme Gans." Ich sah ihr fest in die Augen. „Warum bist du hergekommen?"

Sie lächelte nur, allerdings etwas verkrampft.

„Ich bin keine dumme Gans mehr. Ich werde bald siebzehn."

„Und willst Jura studieren, hab ich gehört."

„Mama möchte, daß ich Jura studiere", sagte sie achselzuckend.

„Erzähl mir, was sie gesagt hat, Toni."

„Gar nichts hat sie gesagt."

„Hat sie nicht über Zacarías gesprochen?"

„Nein."

„Das glaub ich nicht. Dafür redet Mama viel zu gerne. Warum lügst du mich an? Hab ich dir nicht verraten, wo der Chauffeur wohnt?"

„Ich lüge nicht, Schätzchen. Aber sag mal, warum liebt ihr den Mann eigentlich so schrecklich?"

„Meine Mutter ist sehr eifersüchtig", antwortete sie lächelnd.

„Rätselraten macht mir keinen Spaß. Also, wenn du mir nichts zu sagen hast, nimm deinen Mantel und hau ab."

„Mama hat Zacarías ins Gesicht geschlagen und ihn zu kratzen versucht. Wenn du sie gesehen hättest... Im Grunde ist sie wie 'n Marktweib." Angeekelt verzog sie den Mund und trippelte zur Balkontür. Im Gegenlicht zeichnete sich ihr Körper unter dem Kleid ab. Mit dem Rücken zu mir sprach sie weiter: „Sie hat idiotische Ansichten über 'ne Menge Dinge, von denen sie keine Ahnung hat. Genauso wie mein Vater..." Das Mädchen drehte sich zu mir um. Ihre Augen funkelten. „Sie halten mich wie eine Sklavin, aber mir reicht's jetzt! Ich gehe in die Schweiz... zum Studieren. Gefällt dir die Schweiz?"

„Mir gefallen vor allem die Kuckucksuhren."

„Ich glaube, mir gefällt die Schweiz nicht", murmelte sie und kam langsam auf mich zu. „Aber da kann ich wenigstens tun, was ich will. Ich fahre heute abend noch ab. *Adiós*, altes Marktweib! *Bye-bye!*" Sie nahm meinen Arm. „Ihr Männer seid alle Schlappschwänze." Sie brach in Gelächter aus. „Mein Vater war genauso, der Ärmste! Hat alles geglaubt, was ihm meine Mutter erzählt hat... Du weißt gar nicht, wie froh ich bin, endlich abzuhauen!"

„Überfriß dich nicht an Käse, und nimm einen Wintermantel mit! Die Nächte in der Schweiz sind sehr kalt. Und jetzt geh, ich erwarte jemanden."

„Eine Frau?"

„Ja."

„Die alte Hexe aus der Garderobe? Na ja, die ist mindestens so alt wie meine Mutter. Zum Totlachen!"

„Raus, du kleines Biest! Genug Unsinn geredet."

„Sollten wir uns nicht verabschieden?"

„Los, nimm deine Sachen und verschwinde!"

Sie befeuchtete sich die Lippen mit ihrer zarten, roten Zunge.

„Hat dir meine Mutter auch bestimmt nichts über mich erzählt?"

In diesem Augenblick klingelte es. Zweimal. Das Mädchen erschrak, wurde blaß und lief mit beinahe irrem Blick durchs Zimmer, so als wollte sie sich verstecken.

„Wer ist das, Toni?"

„Bestimmt weder deine Mutter noch dein Vater. Beruhige dich."

Ich öffnete die Tür. Lidia stand mit ihrer Einkaufstüte vor mir und versuchte zu lächeln. Als sie Cazzos Tochter erblickte, wurden ihre Gesichtszüge hart.

„Hallo!" sagte das Mädchen und hob die Hand. „Erinnerst du dich an mich?"

„Störe ich?" fragte Lidia. „Seid ihr schon fertig, oder habt ihr noch nicht angefangen?"

Leise vor sich hinsummend, nahm das Mädchen ihre Sachen vom Sofa. Sie ging an Lidia vorbei und lächelte sie an. Einen Augenblick lang dachte ich, Lidia würde ihr eine knallen. Aber sie beherrschte sich. Kurz darauf hörten wir, wie das Mädchen die Treppe hinunterging.

„Toni, ich…"

„Komm rein."

„Also…"

„Komm rein, verdammt nochmal!"

Lidia kam in die Wohnung und schloß die Tür. Mitten im Zimmer blieb sie stehen, die Plastiktüte an ihren Körper gepreßt.

„Sie ist kurz vor dir gekommen, Lidia", erklärte ich. „Mach nicht so'n Gesicht. Du hast keinen Grund dafür."

„Ich hab gar nichts gesagt. Verdammtes Biest", zischte sie. „Läuft halbnackt in der Gegend rum! Ich gehe!"

„Warte."

Ich trat auf den Balkon hinaus und lehnte mich über die Brüstung. Cazzos Tochter trippelte eilig zur Puerta del Sol.

Niemand folgte ihr. Als ich sie aus den Augen verlor, ging ich wieder rein.

„Wirst ihn dir runderneuern lassen müssen", giftete Lidia. „Bei dem Tempo, Junge…"

„Hör mit dem Quatsch auf!"

„Sie ist hübsch… und jung. So eine Gelegenheit darf man sich nicht…"

„Sehr geistreich bist du heute nicht grade. Ich muß gehen, Lidia. Soll ich dich irgendwohin mitnehmen?"

„Einen Dreck kannst du mich!"

„Hör zu, Lidia, ich hab 'ne Menge Arbeit. Hör endlich mit dem Quatsch auf."

„Du verlogenes Schwein! War sie die ganze Nacht hier?"

„Das geht dich 'n Dreck an."

„Na gut! Ich wollte dich zum Mittagessen zu uns einladen. Mutter macht grade Paella!"

„Paella eß ich für mein Leben gern, aber ich kann leider nicht. Wie gesagt, ich hab viel zu tun. Außerdem sind wir für heute abend verabredet."

„Dir gefallen die feinen Dämchen, was?"

„Hörst du jetzt endlich auf, ja? Die Kleine ist zufällig hier reingeschneit… Wir sehn uns um halb zehn bei Carmencita."

„Wenn du dann noch kannst!"

Unten auf der Straße trennten wir uns. Ich machte Julitos Scheck zu Bargeld und zahlte es auf mein Konto ein. Dann nahm ich ein Taxi.

Vor Felipes Bar standen ein Haufen Kinder, Frauen und ein paar Männer, Hände in den Hosentaschen. Zwei Polizeiwagen parkten auf dem staubigen Weg. Ich trat zu der Menschenmenge. Eine Frau in einem hellblauen Morgenmantel stand schreiend in der Tür des Cafés. Sie war klein und dünn, aber wehrte sich energisch gegen zwei andere Frauen, die sie, ebenfalls schreiend, zu trösten versuchten. An der Häuserwand lehnte ein Polizist und rauchte gelangweilt.

„Was ist passiert?" fragte ich eine Alte mit ungekämmten Haaren.

Sie musterte mich von oben bis unten, in der Hand ein Sandwich mit Thunfisch. Das Öl lief ihr über das Kinn in den Kragen. Sie antwortete nicht. In solchen Vierteln kann ein Typ mit Krawatte und Jackett nichts Gutes bedeuten. So was ist ein Polizist oder was Schlimmeres.

An ihrer Stelle antwortete mir ein Alter mit Lederjacke und Baskenmütze.

„Das ist die Rosa", sagte er und zeigte auf die schreiende Frau. „Ihr Mann hat sich erhängt."

„Das ist schon der zweite in diesem Jahr", meldete sich jetzt die Alte mit dem Öl am Kinn zu Wort. „Der Herrgott steh uns bei!"

Die Frau an der Tür warf sich schreiend zu Boden. Ihre dünnen Beine waren voller Krampfadern. Heulend wälzte sie sich im Dreck.

„Ja", sagte der Alte mit der Lederjacke. Wer hätte das gedacht! Wo er doch immer so witzig war, der Felipe."

„Wer?" fragte ich nach.

„Felipe." Seine lebhaften Äuglein blitzten. „Der Felipe hat sich aufgehängt!"

„Wann?"

„Heute morgen, als seine Frau auf dem Markt war. Als sie zurückkam, hat sie ihn gefunden." Er fuhr sich mit der Hand über den Hals. „Mit der Brunnenkette. Muß wohl verrückt geworden sein."

Die Frau wälzte sich noch immer auf dem Boden und schrie den Namen ihres Mannes. Das konnte noch lange so weitergehen. Ein Kind von ungefähr zehn Jahren stellte sich vor mich hin und streckte die Zunge raus, so weit es ging.

„So hing die ihm raus", sagte der Kleine, „und ganz schwarz war er, hat Doña Engracia gesagt. Die hat ihn nämlich gesehen!"

Der Alte neben mir spuckte auf den Boden.

„Jetzt werden sie ihn wohl gleich rausbringen", sagte er.

„Erst muß noch das Gericht kommen", warf die Frau mit dem Öl am Kinn ein.

Ich drehte mich um und ging zum Haus des Chauffeurs. Tür und Fenster waren geschlossen, auf der Leine hing keine Wäsche. Der kleine Junge kam hinter mir hergelaufen.

„Die Frau ist weggegangen", rief er. „Ich hab sie gesehen, mit einem Koffer."

„Wann?"

„Heute morgen, zum Paseo de Estremadura ist sie gegangen."

„Alleine?"

„Ja."

„Und Zacarías hast du nicht gesehn?"

„Nein, der wohnt nicht mehr hier, ist ausgezogen."

„Danke, Kleiner, hier!"

Ich gab ihm hundert Pesetas. Er steckte das Geldstück eilig ein. Durch Felipes Tod hatte ich eintausendfünfhundert Pesetas verloren, da kam es mir auf weitere hundert auch nicht mehr an.

„Danke!"

„Du kannst jetzt gehen, Kleiner."

Er rührte sich nicht vom Fleck, sah mich unverwandt an. Ein hellgrüner Wagen kam schleudernd über den staubigen Weg und hielt etwa zehn Meter vor mir. Ich erkannte das alberne Gesicht von Marques und das leicht verächtliche von Suárez. Sie stiegen aus und knallten die Wagentüren.

„Was machst du denn hier, Toni?" rief Suárez mir zu.

„Los, Kleiner, hau ab!" sagte ich zu dem Jungen und schob ihn weiter. Zögernd gehorchte er.

Marques kratzte sich am Kopf.

„Laß mich mal nachdenken", meinte er. „Du stellst hier auf eigene Faust Ermittlungen an, stimmt's?"

„Findest du nicht, daß du dich zu sehr für den Chauffeur interessierst?" fragte Suárez.

Die beiden Polizisten kamen auf mich zu, Marques ein wenig im Hintergrund.

„Geh nicht zu nah ran", riet er seinem Kollegen. „Er war Profiboxer und kann immer noch gut austeilen! Ich hätte Angst vor ihm."

„Ach was!" Suárez schüttelte den Kopf. „Toni ist 'n anständiger Kerl. Er wird uns bestimmt helfen. Wir machen 'ne kleine Spazierfahrt und unterhalten uns etwas über diesen Chauffeur. Tips können wir immer gebrauchen."

Marques öffnete sein Jackett und ließ den Kolben seiner Dienstwaffe sehen.

„Geh zum Wagen, Toni, langsam… und keine Dummheiten!" Er preßte die Kinnladen aufeinander. „Du stehst auf meiner Privatliste."

Suárez führte mich am Arm zu ihrem Wagen, einem Fünfzehnhunderter mit dem Kennzeichen von Cáceres, und drückte mich auf den Vordersitz. Der kalte Lauf einer 9er *Astra* drückte sich mir an den Hals. Suárez blies mir seinen Atem ins Gesicht.

„Tu mir den Gefallen und beweg dich, du Scheißkerl", zischte er. „Bitte, tu was! Mach eine Bewegung, und ich bring dich um!"

Marques' Faust traf mich an der Halsschlagader. Über meine Augen legte sich ein Schleier. Ich stöhnte auf.

„Wo ist Zacarías?" flüsterte er mir ins Ohr.

„Ihr seid verrückt", stieß ich hervor. „Ich habe nichts mit diesem Mann zu tun! Ihr seid im Irrtum."

„Ja, natürlich! Wir sind im Irrtum… aber hierher zu kommen, war *dein* Irrtum. Zum letzten Mal: Wo ist Zacarías?"

Ohne meine Antwort abzuwarten – ich hatte ohnehin nichts zu antworten –, verpaßte er mir wieder einen Faustschlag. Mein Kopf wurde gegen die Frontscheibe geschleudert.

„Hör mal, Toni, wir wollen dir nichts tun! Du sagst uns, wo Zacarías steckt, und dann kannst du gehen. Betrachte es als einen Gefallen, den du ehemaligen Kollegen tust."

„Für wen arbeitet ihr?" fragte ich. „Für Frutos oder für Céspedes? Wieviel zahlt er euch?"

„Red nur weiter", knurrte Suárez und preßte die Pistole an meinen Hals.

Ich konnte kaum atmen. Plötzlich sah ich eine plumpe Gestalt durch den Staub auf uns zukommen. Es war Frutos, begleitet von zwei Beamten der *Policía Nacional*. Selten habe ich mich so sehr gefreut, jemanden zu sehen. Suárez sah die drei ebenfalls und steckte die Waffe weg.

„Marques", sagte er zu seinem Kollegen. „Guck mal!"

Der andere drehte sich um, öffnete blitzschnell die Wagentür und sprang hinaus.

„Chef!" rief er Frutos entgegen. „Wir haben Toni getroffen. Er hat hier rumgeschnüffelt."

Suarez und ich stiegen ebenfalls aus. Frutos betrachtete uns schweigend. Er trug den üblichen Anzug. Auf seinem Gesicht hatten sich weitere Falten eingegraben.

„Komm, Toni", sagte er unglaublich sanft und nahm meinen Arm.

Wir gingen zu der Menschenmenge, die sich immer noch vor der *Casa Felipe* drängte. Der Junge von eben strich ernst, Hände in den Hosentaschen, um den Ambulanzwagen herum.

„Was war los?" fragte mich Frutos.

„Deine Leute sind ganz scharf darauf, Zacarías zu finden", sagte ich. „Mehr als du, Frutos, scheint mir! Und wenn sie ihn finden, werden sie ihn nicht dir übergeben, sondern sie werden ihn umbringen. Das nennt man, glaube ich, sich einem Vorgesetzten widersetzen... oder Befehlsmißachtung, so genau erinnere ich mich nicht mehr."

Er hätte wütend werden können, wurde es aber nicht. Statt dessen ging er weiter, ohne meinen Arm loszulassen.

„Ja, ich weiß." Er sah mich an. „Und wer hat diesen Felipe umgebracht?"

„Keine Ahnung. Sieht aus wie Selbstmord."

„Das Haus wurde seit einer Woche überwacht", bemerkte Frutos.

„Ich hab gestern mit dem Mann gesprochen. Das Letzte,

was der getan hätte, wär Selbstmord gewesen. Wir waren für heute verabredet. Er wollte mir verraten, wo sich der Chauffeur versteckt."

„Du warst gestern hier?"

„Ja."

Frutos machte ein nachdenkliches Gesicht.

„Davon haben mir die zwei gar nichts gesagt."

„Du bist nicht ihr Chef, Frutos."

Er sah mich traurig an. Dann sagte er *„Adiós"*, und ich ging zurück zu Suárez und Marques.

Später wurde mir bewußt, daß ich nicht zugegeben hatte, ebenfalls auf der Suche nach Zacarías zu sein.

14

In der *Casa Justo* aß ich zwei hartgekochte Eier, eine Portion Kaldaunen und zwei halbe Tomaten mit Salz. Danach trank ich einen Kaffee und rauchte eine *Faria*. Aber mit meinen Gedanken war ich woanders. Ich saß an einem Tisch in der Ecke und blieb dort sitzen, bis der letzte Gast gegangen war. Justo und seine Tochter Mercedes kamen hinter ihrer Theke hervor, um das Lokal auszufegen. In der *Casa Justo* wird man nicht zum Gehen gedrängt. Ich bestellte noch einen Kaffee. Er war sehr gut, und ich bestellte mir einen Kräuterschnaps dazu. Als ich ausgetrunken hatte, ging ich zum Telefon und wählte die Nummer des *Club Melodías*. Ich verlangte Boleros, und kurz darauf hörte ich seine Stimme in der Leitung.

„Toni... hast du gehört...?"

„Ja", unterbrach ich ihn. „Ich hab's gehört, Boleros. Jetzt bitte ich dich noch um einen weiteren Gefallen."

„Hier ist was im Gange", flüsterte er mir ins Ohr. „Ich muß mit dir reden... Der..."

„Ich komm morgen nachmittag vorbei", fiel ich ihm wieder ins gestammelte Wort. „Was ich von dir erfahren möchte, ist die Adresse der Kassiererin der Sauna, du weißt schon... Montse heißt sie."

„Aber Toni! Du bist verrückt!" schrie er.

„Morgen nachmittag", antwortete ich nur und legte auf.

Justo stand mit dem Besen in der Hand da und beobachtete mich. Er war ein alter Mann, dünn, mit Glasauge, ein Veteran aus dem Marokkokrieg. Sein Gesicht sah aus, als hätte er sich mit der Sense rasiert.

„Ich hab 'ne Fuhre Whisky gekriegt, Toni", raunte er mir zu. „Und frische Zigarren."

„Vier Flaschen und eine Kiste *Montecristo Nr. 4*. Geht das?"

„Ja, glaub schon."

Er brachte die Ware, ich bezahlte und ging langsam nach Hause. Das Zeug kostete mich nur die Hälfte. Es war keine Schmuggelware, sondern gestohlen. Justo betätigte sich als Hehler, war aber reell. Wenn er sagte, der Whisky sei gut, dann war er's auch.

Ich ging die Treppe zu meiner Wohnung hinauf, schloß die Tür auf, öffnete sie... und sah einen Mann auf meinem Sofa sitzen, eine 32er *Webley* auf mich gerichtet. Das Modell stammte noch aus dem Weltkrieg. Aus dem Ersten.

Der Mann war groß, hatte breite Schultern und ein kantiges, von Bartstoppeln bläuliches Gesicht. Er trug ein weißes Hemd, das bis zum Kinn zugeknöpft war, und eine dunkle Hose aus grobem Stoff. Die Pistole in seiner Hand zitterte nicht. Dem Kerl schien es ernst zu sein.

Es war Zacarías Sánchez, Cazzos ehemaliger Chauffeur.

„Mach die Tür leise zu", befahl er mit rauher, ruhiger Stimme.

Ich gehorchte und legte die Pakete vorsichtig auf den Tisch. Ohne seine Livree sah Zacarías komisch aus.

„Zieh das Jackett aus, langsam... So, ja... Und jetzt dreh dich um, aber keine Dummheiten."

„Meine Pistole ist in der Schublade", beruhigte ich ihn.

„Ich trau dir nicht."

Ich öffnete die Zigarrenkiste und nahm eine *Montecristo* heraus. Sie war so frisch und biegsam, wie es nur frische, biegsame *Montecristos* sein können. Ich biß die Spitze ab, zündete die Zigarre an und blies blaue Rauchspiralen an die Decke.

Zacarías richtete immer noch die Waffe auf mich. Ich versuchte, in seinen Augen die Absichten zu lesen, die ihn zu mir geführt hatten, aber ich las nichts. Nur seine Muskeln konnte ich unter dem gespannten Hemdstoff sehen. Sah aus wie 'ne Mäusefamilie unter einem Tischtuch.

„Meine Mutter hat mir gesagt, daß du mich suchst. Was willst du?"

„Mit dir reden."

So was Ähnliches wie 'n Lächeln zeichnete sich unter seiner Nase ab.

„Du auch?"

„Was mich betrifft: nicht über das, was du meinst. Ich arbeite weder für Céspedes noch für Frutos... falls das überhaupt einen Unterschied macht."

„Das ist keine Antwort. Was willst du von mir?"

„Wegen dir hab ich einigen Ärger gekriegt, seit du verschwunden bist. Genügt das als Antwort?"

„Wer macht dir Ärger?"

„Erstens ein Mann namens Santos, dann Unterkommissar Frutos, der den Fall Cazzo untersucht, und schließlich dein Freund Céspedes. Und zu allem Überfluß wollten heute morgen zwei Bullen unbedingt von mir wissen, wo du steckst. Sie warten nur darauf, dich um die Ecke zu bringen."

„Ja, das hat meine Mutter mir auch erzählt. Für mich interessieren sich viele Leute. Ich bin's so langsam leid. Was ist eigentlich los?"

Sein Gesicht ähnelte einem bläulich schimmernden Felsbrocken. Die *Webley* zielte direkt auf meinen Kopf.

„Weißt du das nicht, Zacarías?"

„Nein, sag's mir!"

„Céspedes behauptet, daß du Cazzos Leiche wichtige Dokumente aus der Tasche genommen hast."

„Was erzählst du da?"

„Hat er mir selbst gesagt. Er hat mir sogar eine monatliche Bezahlung versprochen, wenn ich dich suche. Und auf die Polizei übt er Druck aus, damit die 'n bißchen in die Gänge kommen. Mehr noch, ich bin überzeugt, daß er mindestens zwei Polizisten gekauft hat: Suárez und Marques heißen die."

„Warum erzählst du mir das alles?"

„Weiß ich nicht. Muß ich einen Grund dafür haben?"

„Ja."

„Werd mir einen ausdenken", sagte ich achselzuckend.

Zacarías bewegte die Pistole auf und nieder, so als stelle er sich eine Frage, die er nicht klären konnte.

„Also, du Ex-Bulle", sagte er schließlich, „Céspedes hat dir erzählt, daß ich Cazzos Leiche Dokumente weggenommen hab?"

„Genau, und die Polizei glaubt das auch. Céspedes hat mir außerdem noch erzählt, daß du für ihn gearbeitet hast."

„Er hat mich dafür bezahlt, daß ich ihm gesagt hab, wo ich Cazzo hinfahren mußte. Mehr nicht. Ich hab Santos angerufen und es ihm durchgegeben. Keine Ahnung, warum sie's wissen wollten, aber sie haben dafür bezahlt."

„Du hast dich da in 'ne schöne Scheiße reingeritten."

„Ich habe keine Dokumente."

„Mir brauchst du das nicht zu erzählen."

„Woher soll ich wissen, daß du nicht mit Céspedes zusammenarbeitest? Hat mich nicht besonders überzeugt, deine Erklärung, warum du mit mir reden wolltest."

„Wenn du mir nicht glaubst, ist das dein Problem."

Ich öffnete eine der Whiskyflaschen und nahm einen Schluck. Es war echt schottischer Whisky. Eine Flasche davon kostet im Geschäft mehr als tausend Pesetas. Zacarías steckte seine Automatic in den Gürtel, blieb aber unbeweglich auf dem Sofa sitzen. Vermutlich dachte er nach.

„Verdammte Scheiße!" rief er schließlich. „Sie haben Emilia umgebracht, hast du's gehört?"

„Ja, hab ich."

„Diese Schweine!"

„Vor einiger Zeit hab ich Emilia mit zwei Kerlen gesehen, abends, in der Diskothek, wo ich gearbeitet hab. Einer war groß und kräftig, mit onduliertem Haar. Der andere war jung, blond, das Gesicht voller Pockennarben. Beide hatten einen südamerikanischen Akzent. Ein alter Akkordeonspieler war auch noch dabei, Zazá Gabor heißt der." Ich nahm noch einen

Schluck aus der Flasche. Der Whisky wärmte mich, und ich redete weiter: „Ich habe Emilias Spur bis zur Sauna *Sirocco* verfolgt. Der junge Blonde war übrigens derselbe, der deinen Chef im *Gavilán* erschossen hat."

Er stand auf. Die Sprungfedern meines Sofas stöhnten. Mußte sie bei Gelegenheit mal erneuern lassen. Zacarías richtete sich zu seiner vollen Größe auf. Er war noch länger als Santos. Die Arme in die Seiten gestemmt, den Blick zur Decke gerichtet, ging er im Zimmer auf und ab. Schien so, als hätte er mich ganz und gar vergessen. Er ging zum Tisch und trank aus der offenen Whiskyflasche. Seine riesige Nase bewegte sich im Schluckrhythmus. Dann stellte er die Flasche wieder auf den Tisch.

„Cazzo, der verdammte Schleimer!" schimpfte er. „Einmal pro Woche, donnerstags, mußte ich ihn in die Sauna fahren. Er sagte, zur Entspannung... Emilia hat ihn hervorragend entspannt..."

„Das mit den Saunabesuchen weiß die Polizei schon, Zacarías."

Statt einer Antwort schnappte er sich wieder die Flasche und setzte sie sich an den Hals. Ein Schluck von Zacarías war etwa ein Viertelliter.

„Ich dachte, du wärst Abstinenzler, Zacarías."

„Während der Arbeit trinke ich nicht."

„Eine kluge Angewohnheit."

„Ich sehe, du boxt." Er sah sich die Fotos an der Wand an. „Toni Romano ist dein Name im Ring?"

„War. Ich boxe nicht mehr."

„Ich wollte auch mal Boxer werden, hab's dann aber seinlassen. Ansonsten hab ich fast alles gemacht, einschließlich betteln und klauen."

Er griff wieder nach der Flasche. Ich öffnete eine zweite und ging mit ihr zu meinem einzigen Sessel, der gegenüber dem Sofa steht. Ich stellte die Flasche auf das Tischchen, machte es mir im Sessel bequem und rauchte meine *Montecristo* weiter. Zacarías setzte sich wieder auf das Sofa, seine

Flasche in der Hand. Ich trank aus einem Glas, Zacarías brauchte keins.

„Das heißt also", griff ich die Unterhaltung wieder auf, „daß du keine Dokumente an dich genommen hast?"

„Genau! Kein einziges Papierchen."

„Du bist ja schließlich auch kein Dokumentenklauer, Zacarías. Hast nur ein bißchen deinen Chef hintergangen, stimmt's?"

„Man merkt, daß du bei den Bullen warst. War gar nicht nötig, den andern zu fragen, diesen Frutos. Hab's sofort geschnallt. Du hast so'n komischen Geruch an dir."

Wir tranken beide einen Schluck.

„Und du stinkst nach Lügner und Betrüger", gab ich zurück.

„Wir zwei sind uns ziemlich ähnlich. Das hab ich auch gleich gemerkt, als wir uns im *Gavilán* begegnet sind. Nur mit einem Unterschied: Ich bin nicht so neugierig wie du, und das wird dir den Hals brechen. Warum gibst du keine Ruhe? Was geht dich der Blonde an, warum interessierst du dich für das, was ich tue oder lasse?"

Er stand auf. Ich auch. Meine Linke schoß auf sein Gesicht zu, aber Zacarías wich blitzschnell aus. Meine Faust streifte nur sein Ohr. Ich sah seine Linke kommen, bevor ich mich bewegen konnte. Es war, als hätte mich ein Bagger getroffen. Zimmerdecke und Wand machten einen Satz, ich flog über den Sessel auf die andere Seite.

Mühsam rappelte ich mich wieder hoch und hob meine *Montecristo* auf. Zacarías schien so ruhig wie immer. Wir setzten uns wieder auf unsere Plätze. Ich trank ein halbes Wasserglas Whisky pur. Er schluckte weiter direkt aus der Flasche.

„Was war los mit dir, Bulle?"

„Du bist ein verlogenes Schwein."

Er kam mit seinem Quadratschädel näher.

„Und du bist selten blöd, Bulle! Weil du dich nicht belügen läßt."

Ich traf ihn mit einem kurzen Haken voll am Kinn. Er fiel

nach hinten, sprang aber sofort wieder auf, kippte das Tischchen um und konnte meiner linken Geraden ausweichen.

„Willst du spielen oder was?"

Er parierte wieder eine Linke von mir, die eigentlich sein Gesicht treffen sollte. Dafür konnte ich seine Faust von nahem sehen. Ich flog gegen die Tür, riß die Deckung hoch, er schlug mir in den Magen. Ich rutschte auf den Boden, mir blieb die Luft weg.

Keuchend kam ich wieder auf die Beine und taumelte auf meinen Gegner zu.

„Was machst du denn?" knurrte er. „Bist du verrückt geworden?"

Ich schlug ihm auf die Schläfe, dann aufs linke Auge, aufs rechte; aber er blieb einfach stehen. Jetzt holte er aus und verpaßte mir einen Leberhaken. Ganz langsam sackte ich zusammen. Irgend etwas in mir zerplatzte.

Als ich die Augen öffnete, saß Zacarías wieder auf dem Sofa und trank. Meine *Montecristo* lag zertreten auf dem Boden, direkt neben mir sah ich seine Pistole. Ich schleuderte sie unters Sofa.

Ich richtete mich auf. Zacarías reichte mir seine Flasche. Ich nahm einen Schluck, während ich noch auf dem Boden saß.

„Du bist 'n Scheiß-Bulle!"

„Stimmt", antwortete ich. „Und du hast das Blaue vom Himmel heruntergelogen, so was hab ich noch nie gehört."

Ich wollte mich in den Sessel setzen, fand ihn aber nicht mehr. Dafür traf mich Zacarías' Fuß an der Brust. Die Whiskyflasche zersplitterte auf dem Boden, meine Wohnung drehte sich: Der Balkon war oben, die Zimmerdecke unten.

„Tut mir leid", sagte der Chauffeur, „ich mach 'ne andre auf. Mal sehen, ob wir in Ruhe einen trinken können, Bulle. Weißt du was? Ich mag dich!"

Ich stand wieder.

Endlich erwischte ich ihn voll mit einer Reihe von Rechts-Links-Kombinationen, in die ich mein ganzes Gewicht legte. Aber kaum ließ ich die Fäuste sinken, da traf es mich, als hätte ein Pferd ausgeschlagen. Ich schlug ihn wieder an den Kopf, dann gegen die Brust, und kassierte dafür ein paar Kinnhaken. Ein Nebelschleier legte sich über meine Augen. Mir gelang es, sie zu öffnen. Ich sah den Chauffeur langsam zu Boden gehen.

Ich wollte zum Tisch wanken, wo der Whisky stand, konnte aber nur kriechen. Zacarías schleppte sich ebenfalls zu den Getränken, aber ich schaffte es als erster und gönnte mir einen langen Schluck.

„He! Gib mir auch was", bat er.

Ich reichte ihm die Flasche.

„Wo ist meine Pistole?"

Ich wollte es ihm sagen, brachte aber kein Wort raus und zeigte unters Sofa. Er gab mir die Flasche. Ich trank wieder einen Schluck. So ging es eine ganze Weile, ich weiß nicht, wie lange. Mir wurde es innerlich warm. Wirklich bequem auf dem Boden, schön kühl, sehr angenehm. Mir fiel nichts ein, was ich lieber getan hätte, als auf dem Boden zu sitzen. Endlich konnte ich wieder sprechen.

„Kannst du 17+4 spielen?"

„Klar, Kollege! Aber im Moment hab ich keine Lust. Fühl mich sehr gut so, dein Whisky ist ausgezeichnet."

„Wußte ich doch." Ich grinste. „Du kannst Kartenspielen."

„Weißt du was? Ich glaub, du bist nicht ganz dicht, Kollege."

„Du bist ein verlogenes Schwein, Zacarías. Und ich bin nicht dein Kollege! Nenn mich gefälligst nicht Kollege!"

Wir saßen noch immer auf dem Fußboden. Sein rechtes Auge wurde so langsam violett. Ich mußte lachen.

„Wir sind alle Schweine, Bulle! Ich, du, Céspedes, Cazzo, seine Frau, seine Tochter, alle! Wußtest du das?"

„Du hast Cazzo hintergangen, dann diesen Dreckskerl von Céspedes, und jetzt gibst du nicht zu, daß du weißt, wer deinen Chef umgebracht hat."

„Kollege", erwiderte er und reichte mir wieder die Flasche, „Cazzo war ein Schweinehund, und Céspedes ist ein ganz gemeiner Kerl, der mich bezahlt hat, mit Geld. Und Geld kann ich immer gut gebrauchen, Kollege! Du nicht? Aber eins kannst du mir glauben: Ich habe keine Dokumente!"

„Daß ich nicht lache!"

Der Whisky lief mir über mein Hemd, aber einiges floß auch durch meine Kehle. Zacarías lachte leise vor sich hin. Man merkte, daß er das Trinken nicht gewöhnt war.

„Du hast keine Ahnung vom Leben..." Er richtete sich halb auf. „Übrigens, wie hast du rausgekriegt, wo ich wohne? Die Adresse meiner Mutter kennt keiner."

„Doch, Cazzos Tochter! Und die Schergen von Frutos auch. Pardon, ich meine, die von Céspedes."

„Dieses Biest!" zischte Zacarías.

„Ja, 'n ziemliches Biest für ihr Alter... und für ihr Gewicht."

„Haha! Sehr witzig, Kollege!"

„Wenn du noch einmal ‚Kollege‘ zu mir sagst, schlag ich dich wieder zusammen, Zacarías... Aber sag mal: Warum hast du deinen Job bei dieser wunderbaren Familie geschmissen?"

„Keine Lust mehr. Und da ich was gespart hatte..."

„Klar, von dem Geld, das dir Céspedes gegeben hat..."

Wir tranken abwechselnd. Wieder hörte ich sein leises Lachen.

„'ne Scheißfamilie ist das, Bulle!" rief er, senkte jedoch sofort wieder die Stimme. „Ich hab mich da übel reingeritten... Irgendwann findet mich Céspedes..."

„Du kennst ihn doch, schließlich wart ihr Freunde. Dann müßtest du doch wissen, wie man ihn verarschen kann."

Zacarías stellte die Flasche auf den Boden.

„Weißt du, Bulle, du bist gar nicht so blöd, wie du aussiehst."

Nach mehreren vergeblichen Anläufen stand er auf. Ich versuchte es ebenfalls, schaffte es aber nicht. Na ja, es war ja ganz hübsch hier auf dem Boden, und außerdem hatte ich die Flasche in Reichweite. Also blieb ich, wo ich war. Zacarías fischte seine Pistole unter dem Sofa hervor und steckte sie sich hinten in den Gürtel. Dann ging er zum Tisch, öffnete die letzte Flasche und reichte sie mir. Schien wirklich kein schlechter Kerl zu sein, vielleicht etwas verlogen und 'n bißchen bestechlich; aber wer hat heutzutage keine kleinen Fehler?

„Kann ich mir 'ne Zigarre nehmen, Kollege?"

„Nein, du verdammter Lügner, rühr die Zigarren nicht an!"

Er hörte gar nicht zu. Nahm die ganze Kiste Zigarren und klemmte sie sich unter den Arm. Sofort tat es ihm aber leid, er klappte die Kiste auf, nahm eine Zigarre heraus und warf sie mir zu.

„Da, für später."

Und schon war er an der Tür und öffnete sie.

„Danke für die Zigarren, Kollege... und für die Ideen, auf die ich durch dich gekommen bin. Du weißt gar nicht, wie sehr ich dir danke!"

Vermutlich schloß er die Tür hinter sich, aber ich hörte das Geräusch nicht mehr. Ich glaube, ich schlief auf der Stelle ein.

15

Um elf kam Lidia wutschäumend aus Carmencitas Bar. Aber als sie sah, in welchem Zustand ich war, beruhigte sie sich sofort und wollte mich pflegen. Als erstes brachte sie mich ins Bett. Nach der Prügelei mit Zacarías brauchte ich wirklich Ruhe, doch die bekam ich die ganze Nacht nicht. Wenn etwas eine Frau auf Touren bringt, dann ist es die Tatsache, jemanden bei sich zu haben, der schwer angeschlagen ist und sich nicht wehren kann. Aus welchem Grund auch immer, jedenfalls fühlte ich mich schon viel besser, nachdem ich noch den ganzen Morgen im Bett verbracht hatte. Daher beschloß ich, diesen Zazá Gabor aufzuspüren.

Lidia wollte noch bleiben, um mich weiterzupflegen. Glücklicherweise brauchte ihre alte Mutter sie ebenfalls, so daß sie aufbrechen mußte. Eine halbe Stunde später ging ich durch die Calle Cádiz zur Bar *Danubio*.

Wie immer stellte ich mich an die Theke und stützte meine Ellbogen auf.

„Hallo, Toni!" begrüßte mich Antonio. „Der Zazá ist noch nicht gekommen… Aber was hast du mit deinem Gesicht gemacht? Boxt du wieder?"

„*Ich* hab gar nichts mit meinem Gesicht gemacht. Gib mir 'n Bier."

Er stellte es mir hin. Ich trank es in einem Zug leer.

„Mach mir noch eins."

Das zweite Bier trank ich nur halbleer.

„Möchtest du essen?"

„Ja, reservier mir einen Tisch."

Er nahm ein Schildchen mit der Aufschrift „Reserviert", kam hinter der Theke vor und stellte das Schildchen auf einen der Tische. Im „Eßsaal" saß im Moment nur eine alte, dünne Frau, die sehr geräuschvoll ihr Mittagessen zu sich nahm. Aber Antonio hatte es gerne stilvoll, und die Reservierung von Tischen war eine seiner Lieblingsbeschäftigungen. Dafür hatte er sogar einige Lehrgänge besucht.

Ich trank mein Bier aus und bestellte mir noch eins. Die Bankleute kamen lärmend herein und setzten sich zum Essen an die Tische. Insgesamt gab es zehn Tische im Eßsaal. Vier davon waren immer noch frei. Eine Stunde später setzte ich mich auf meinen reservierten Platz und bestellte das Tagesgericht: Makkaroni mit Tomatensauce, Spiegeleier mit Schinken und, zum Nachtisch, Ananas mit Sirup. Als ich bei Antonio den Kaffee orderte, kam Zazá Gabor herein.

Er trug eine enge, rosafarbene Kordhose und ein weißes Hemd. Die Ärmel hatte er hochgekrempelt. Er sah noch älter aus als an dem Abend im *Luna de Medianoche*.

Sofort setzte er sich auf das Bänkchen, das auf dem Holzpodest stand, und spielte *Abril en París*. Dann folgten *Fascinación, Mi amor vive en esta calle* und noch andere Lieder, die ich nicht kannte. Er spielte recht flott, weder zu laut noch zu leise.

Als er nach einer Dreiviertelstunde zu spielen aufhörte, saß ich ganz alleine im Eßsaal.

„Komm nächstens früher", rief Antonio dem Akkordeonspieler zu. „Du sollst um zwei anfangen, verdammt nochmal!"

„Ich konnte nicht eher."

„Das ist hier keine Sonntagsschule! Entweder du kommst um zwei, oder es gibt nichts auf die Gabel."

„O.k., Mann."

Ich stand auf und warf ihm hundert Pesetas auf das Geldtellerchen.

„Vielen Dank, Señor", sagte Zazá.

Er erkannte mich nicht wieder.

„Möchten Sie was trinken?" fragte ich und zeigte auf meinen Tisch.

Er nickte, und wir setzten uns.

„Ein Bier", sagte er.

„Antonio", rief ich zur Theke, „ein Bier, eine Zigarre und Kognak." Dann wandte ich mich an den Alten: „Ich suche einen Mann, der dem *Luna de Medianoche* noch einiges schuldet."

Jetzt erkannte er mich.

„Ich hab nichts mit denen zu tun!" sagte er, ein wenig erschrocken.

„Ich weiß, die beiden anderen werden den Sachschaden bezahlen. Wo ist der Blonde?"

„Der Junge, der auch dabei war?"

„Ja, genau der."

„Sind Sie…"

Ich nickte.

„Ich hab keine Ahnung, Señor!" rief der Alte.

Antonio kam mit einem Tablett: ein Teller Makkaroni mit einem Ei, ein Glas Bier, Kognak und die Zigarre. Er stellte alles auf den Tisch.

„Zazá, mein Onkel hat gesagt, wenn du so spät kommst, kannst du das Essen abschreiben."

„Nur keine Sorge, Antonio. Um zwei werd ich hier sein", murmelte der Alte.

Antonio ging zurück zur Theke. Der Alte machte sich über die Makkaroni her, ich zündete mir die *Troya* an.

Ich nahm einen Tausender aus der Tasche und strich ihn glatt.

„Du kennst die beiden nicht? Na ja, vielleicht erinnerst du dich jetzt. Los, streng dein Gedächtnis ein wenig an. Wo kann ich den Blonden treffen?"

Zazá aß weiter. Beim Kauen machte er mit seinem Gebiß ein saugendes Geräusch.

„Weiß ich nicht."

„Wirklich nicht?"

„Keine Ahnung, wo der sich rumtreibt. Ich weiß nichts."

Zur Bekräftigung schüttelte er den Kopf. Er gab sich Mühe, mir nicht direkt in die Augen sehen zu müssen.

„Und Zacarías Sánchez, kennst du den?"

„Zacarías?" fragte der Alte mit vollem Mund.

„Ja."

Er hörte auf zu kauen.

„Nein, Señor. Hab ich Ihnen doch schon gesagt. Ich kenne niemanden."

Düstere Angst stand in seinem Blick.

„Mal sehen, wie lange wir noch Versteck spielen, Zazá. Ich biete dir Geld an, aber ich kann dir auch was anderes anbieten. Einen Anruf bei der Polizei, zum Beispiel. Emilia ist umgebracht worden, und du warst oft mit ihr zusammen."

Ich lächelte, damit er sah, daß ich nichts gegen ihn persönlich hatte. Doch er kam ins Schwitzen. Dicke Schweißperlen standen ihm auf der Stirn und drohten auf die Makkaroni zu fallen.

„Emilia?"

„Jetzt sag mir bloß noch, daß du die auch nicht kennst, und ich stopf dir die restlichen Makkaroni auf einmal ins Maul!" Ich schob ihm den Geldschein rüber. „Du sollst mir doch nur ein wenig behilflich sein, Zazá! Ich hab gar kein Interesse daran, dich in Schwierigkeiten zu bringen. Und daß du sie nicht auf dem Gewissen hast, weiß ich."

„Ich bin weggegangen, als wir aus dem *Luna* kamen, Señor. Ich schwöre Ihnen, ich weiß nichts!"

Aber die grünen Scheinchen mit Echegarays Konterfei haben die Anziehungskraft eines Magneten. Ohne von seinem Teller aufzublicken, streckte Zazá die Hand aus und steckte die tausend Pesetas ein.

„Ausgezeichnet", sagte ich. „Jetzt hast du dein Gedächtnis aufgefrischt und kannst mir was über die Herren aus dem *Luna* erzählen."

„Also, Señor, das sind Brüder." Schmatzende Kaugeräusche. „Der Ältere heißt Rubén Lacrampe, und der Blonde ist sein Bruder Gustavo. Sie sind Kubaner." Wieder Schmatzen. „Der Blonde lebt nicht hier, sondern in Amerika. Miami, glaub ich." Zazá lächelte, aber da er den Mund voll von halbzerkauten Makkaroni hatte, war der Anblick nicht besonders angenehm. „Dieser Rubén ist sehr gefährlich."

„Ihm gehört die Sauna *El Sirocco*, stimmt's? Du warst doch auch ab und zu da, um dich massieren zu lassen, oder?"

„Na ja, Señor", gab er grinsend zu.

„Sieh mal, Zazá, ich hab dir einen Grünen gegeben, und dafür möchte ich was hören! Wenn du die Sauna kennst, mußt du auch Valeriano Cazzo kennen. Also raus mit der Sprache: Was hat es mit dieser Sauna auf sich?"

„Sie meinen, was Don Valeriano da gemacht hat?"

„Du hast's erraten. So langsam verstehen wir uns."

„Für diese tausend Pesetas", er klopfte auf seine Jackentasche, „habe ich Ihnen das mit Rubén erzählt. Das mit der Sauna kostet extra was. Kommen Sie heute abend ins *Diamante* in die Calle del Pozo, dann erzähl ich's Ihnen... für dreitausend."

„Erzähl mir jetzt lieber noch was über diesen Rubén, los!"

„Ich hab schon alles gesagt, Señor. Ihm gehören die Sauna und ein Cabaret, *El Edén*. Außerdem wird erzählt..." Er sprach jetzt noch leiser. „Er soll für die Polizei arbeiten. Wo er wohnt, weiß ich nicht."

Der Alte schluckte das Ei in einem Rutsch runter. Hörte sich an wie 'n verstopftes Rohr.

„Und der Blonde?"

„Hab ich Ihnen doch schon erzählt, Señor. Der soll nach Miami zurückgefahren sein. Rubén selbst hat's gesagt. Aber bitte, Señor, sagen Sie um Himmels willen Rubén nicht, daß ich Ihnen das erzählt hab! Nicht mal, daß ich mit Ihnen überhaupt geredet habe. Er ist ein ganz gemeiner Kerl, wissen Sie. Ein ganz großes Arschloch." Seine Augen funkelten. „Hoffentlich kommt er in den Bau!... Also dann, heute abend im *Diamante*? So gegen zehn, ich hör mich etwas um, und Sie bringen die Kohlen mit, ja?"

„Mal sehen. Nur wenn du mir wirklich erzählst, was in der Sauna vor sich gegangen ist."

„Vielen Dank, Señor", murmelte er. „Und ganz ehrlich: Ich

hab nichts mit Emilias Tod zu tun. Die konnte vielleicht massieren! Kannten Sie sie? Nein? Sie wissen nicht, was Sie da verpaßt haben, Señor! Das arme Mädchen…"

Ich stand auf, zahlte und ging hinaus. Zazá bestellte sich Erdbeereis zum Nachtisch.

Ich stieg die schmutzigen, ausgetretenen Stufen zu meiner Wohnung hoch. Auf dem zweiten Treppenabsatz hörte ich von oben ein schwaches Geräusch, so, als reibe sich jemand gegen die Wand. Ich ging so leise wie möglich in die dritte Etage hinauf.

Lidia lehnte sich gegen meine Tür, ihren verstörten, angsterfüllten Blick auf mich gerichtet. Das aufgelöste Haar fiel ihr lose auf die Schultern.

„Oh Toni!" rief sie. „Da bist du ja endlich!"

„Was ist passiert?"

Sie zeigte auf die Tür.

„Zwei Männer…" stammelte sie. Ich legte meinen Arm um sie. „Ich hab hier auf dich gewartet, und da hab ich Schritte auf der Treppe gehört und bin ein Stockwerk höher gegangen und… und…"

„Komm, beruhige dich erst mal. Und dann erzählst du mir alles der Reihe nach."

„Sie kamen zu zweit, haben an deiner Tür geklingelt… Ich hab gehört, was sie gesagt haben… Sie haben 'ne Weile hier auf dich gewartet. Sehen konnte ich sie nicht…"

Wir gingen hinein. Lidia drängte sich an mich. Einige Minuten standen wir engumschlungen in der dämmrigen Wohnung. Durch die Tränen der leise schluchzenden Lidia wurde mein Jackett ganz naß. Sie war alles andere als ein ängstliches Mädchen, und es war das erste Mal, daß sie in meiner Gegenwart weinte. Schließlich setzten wir uns aufs Sofa und tranken die letzten Tropfen von dem Whisky, die noch übriggeblieben waren.

„Weißt du, wer die beiden waren?"

Lidia schüttelte den Kopf.

„Ich hab sie nur sprechen hören, sie sagten so was wie ‚dieses Arschloch hat uns reingelegt', ‚der Klugscheißer hat uns verarscht' und so. Genau kann ich mich nicht mehr erinnern, Toni, ich hab so'n Schreck gekriegt! Wer waren die zwei, Toni? Was wollen die von dir?"

„Marques und Suárez, kann ich mir vorstellen. Aber komisch, daß die so weit gehen! Die müssen ganz schön in der Klemme sitzen."

„Toni, worauf hast du dich da eingelassen? Sag's mir, um Gottes willen!"

„Auf nichts, Lidia, auf gar nichts."

Ich stand auf und wanderte durch das immer dunkler werdende Zimmer. Gegen die Polizei kann man nichts ausrichten. Mit einem Typen wie Zacarías kann man sich rumprügeln, aber nicht mit Polizisten. Wenn die beiden wirklich Marques und Suárez gewesen waren, war ich geliefert. Ein Polizist behält immer die Oberhand, ob er nun im Recht ist oder nicht. Wenn er dich mit zwei Schüssen tötet, braucht er keine Zeugen, die aussagen, daß es Notwehr war. Sein Wort reicht aus. Er kann behaupten, daß er angegriffen worden sei, daß du Widerstand geleistet oder eine Polizeikontrolle durchbrochen hättest. Egal. Das Gesetz geht davon aus, daß die Polizei sich stets an die Vorschriften hält, daß die Beamten nie ohne Not schießen und immer auf seiten des Gesetzes stehen. Aber das stimmt eben nicht in allen Fällen. Ich jedenfalls kenne sehr viele Gegenbeispiele. Wenn man zehn Jahre bei der Polizei war, lernt man so einiges kennen.

Ich setzte mich wieder aufs Sofa und nahm Lidia in den Arm. Was Besseres fiel mir in diesem Moment nicht ein. Dann küßte ich sie, und sie schloß die Augen und öffnete ihren feucht schimmernden Mund. Ich weiß nicht, ob Sie verstehen, was ich meine, aber Lidia sprudelt wie ein Wasserfall. Wir preßten unsere Körper dicht aneinander und spielten das altbekannte Spiel.

Später, im Bett, drehte sie mir ihren Rücken mit der häßlichen Narbe zu: eine weißliche Zickzacklinie in Form eines kleinen, gebogenen Horns an der rechten Schulter. Ich streichelte ihr den Rücken, aber sie wachte nicht auf. Sie schlief sanft wie ein Kind.

Unten auf der Straße klatschte jemand rhythmisch und begann eine *bulería*, wobei er mit knödliger Stimme Camerón de la Isla zu imitieren versuchte. Dann verstummte er wieder, und ich hörte, wie sich seine Schritte entfernten. Die Welt schien an diesem Abend stillzustehen, sogar die Bewegung, mit der ich meine Zigarette zum Mund führte, kam mir ewig vor.

Ich drückte die Kippe im Aschenbecher aus, stand auf und ging ins Bad. Ich rasierte mich und duschte ausgiebig, bis ich mich leicht und geschmeidig fühlte, in Form wie vor einem Boxkampf. Ich zog meinen besten Anzug an – den neuen blauen –, darunter ein hellblaues Hemd und wieder den schwarzen Strickschlips, der zwar weder der neuste noch der beste ist, aber dafür mein einziger.

Lidia schlief noch immer in derselben Stellung. Ich setzte mich auf die Bettcouch, rüttelte sie leicht am Arm, aber sie redete nur im Schlaf. Für jemanden, der anspruchsvoller ist als ich, hätte sie drei oder vier Kilo weniger auf die Waage bringen können; aber ich bin nun mal nicht sehr anspruchsvoll, und außerdem gefallen mir etwas molligere Frauen.

Lidia öffnete ein Auge.

„Ich geh, Lidia.“

„Was?... Wohin?“

„Ich muß mit dem Boleros sprechen.“

„Essen wir später bei Carmencita?“

„Gerne... So um halb elf, aber viel länger brauchst du nicht zu warten. Eventuell kann ich nicht kommen.“

„Ich möchte das aber genau wissen: Kommst du nun, oder kommst du nicht?“

„Das kann ich so genau nicht sagen. Ich weiß nicht, ob ich später überhaupt noch was machen kann.“

„Ich muß verrückt sein! Also gut, o.k. Mach, was du willst.“

„Darum geht's nicht, Lidia."

„Doch, Toni! Genau darum geht es. Ich hab in meinem Leben viele Fehler gemacht, sehr viele. Und das hatte nicht immer was mit Männern zu tun. Ich bin kein Kind mehr, Toni, und du auch nicht. Ich brauche was Sicheres, ich kann nicht kommen und gehen wie der Gasmann, damit du mich ab und zu aufs Kreuz legst. Heute nachmittag, als ich oben im vierten Stock stand und diese Kerle auf dich gewartet haben, um dich… um dir was zu tun… Toni, da hab ich gemerkt, daß ich nicht zu dir gehöre, nicht mal 'ne Freundin bin ich oder 'ne Kusine! Ich bin nur Lidia, die Garderobenfrau, und wenn die beiden mich sehen, hab ich gedacht, dann tun die mir was an, weißt du? Nur so, wegen nichts, nur weil du weder mein Mann bist noch mein Verlobter, nichts! Verstehst du?"

„Ich bin langsam zu alt, um…"

„Nein, das bist du nicht! Ich… Ich…"

Ich stand auf und ging zur Tür. Dort drehte ich mich noch einmal um und sah sie an. Nackt, zwischen dem Durcheinander von Kleidern, wirkte sie wie eine Göttin, die mit den Jahren etwas fülliger geworden ist, gerissen und naiv zugleich.

„Um halb elf bei Carmencita!" sagte ich. „Ich ruf an, wenn ich nicht kommen kann. Und… Mach niemandem die Tür auf, Lidia!"

Sie schüttelte den Kopf und kämpfte gegen die Tränen an.

„Nein", brachte sie hervor, „nein…"

„Also, um halb elf."

„Merkst du nicht, daß… daß…"

Ich schloß die Tür hinter mir und sprang die Stufen hinunter. In diesem Augenblick war mir noch nicht klar, wie sehr ich sie vermissen würde.

Ich Blödmann!

16

Im *Melodías* standen die Stühle noch auf den Tischen. Es stank nach billigem Desinfektionsmittel und abgestandenem Zigarettenrauch. Die fette Putzfrau wischte lustlos den Boden des Lokals. Roberto, der Geschäftsführer, stützte sich schlechtgelaunt auf die Theke.

„Ist der Boleros in Reichweite?" fragte ich ihn.

Im Zeitlupentempo löste er sich von der Theke, wobei er mir einen abwesenden Blick zuwarf. Dann zeigte er auf eine Tür.

„Telefoniert grade mit dem Chef."

„Ich werd hier auf ihn warten", entschied ich. „Ist was mit ihm?" bohrte ich.

Roberto zuckte die Achseln und antwortete nicht. Ich setzte mich auf einen der einsamen Hocker und zündete mir eine Zigarette an. Er holte unter der Theke ein Bündel Geldscheine hervor und fing an zu zählen.

„Bist heute nicht sehr gesprächig", stellte ich fest.

„Man muß wissen, wann man die Schnauze zu halten hat", knurrte er, ohne aufzublicken. „Darum bin ich jetzt ja auch Geschäftsführer. Hier darf man über einige Dinge reden, über andere nicht."

Er hatte aufgehört zu zählen und legte die Scheine neben sich auf die Theke.

„Das ist die goldene Regel", fuhr er fort. „Der arme Kerl hat's eben nicht schnell genug begriffen... also: ab auf die Straße!"

Verächtlich verzog er den Mund.

„Redest du vom Boleros?"

Er nickte.

„Der Chef hat sich über ihn geärgert." Er sah mir ins Gesicht. „Der Boleros hat sich nicht grade dankbar gezeigt... Man hat ihm gute Arbeit gegeben... leichte Arbeit... und er, na ja... hat's nicht anders gewollt."

„Willst du damit sagen, daß sie ihn rausgeschmissen haben?"

„Ja, klar!"

„Warum denn?"

„Das geht Sie nichts an... Und außerdem haben wir noch geschlossen. Wir machen erst um acht auf. Wenn Sie so lange hier sitzenbleiben wollen... Von mir aus, aber schön die Klappe halten."

Er legte den Finger auf den Mund. In diesem Augenblick kam Boleros herein. Als er mich sah, kam er schnell an die Theke. Er hatte sich noch nicht umgezogen: grünes Jackett, grüngelb karierte Hose. Das Gelb seiner Krawatte kontrastierte mit dem Rot, das ihm ins Gesicht geschossen war. Er klopfte mir auf die Schulter, wandte sich dann aber dem Geschäftsführer zu.

„Die alte Sau hat gesagt, du sollst mich auszahlen", knurrte er.

„Hier!"

Der andere schob ihm die Scheine über die Theke. Boleros nahm sie und zählte nach.

„Der Chef ist keine ‚alte Sau', merk dir das. Er tut nur seine Pflicht. Wenn du deine auch getan hättest... Jetzt mecker hier nicht rum!"

„Soll das 'n Witz sein?" fragte Boleros.

„Was?"

„Das hier."

„Das ist dein restliches Geld."

„Zwölftausend Pesetas?"

„Er hätte dir gar nichts geben brauchen, kannst noch froh sein!"

„Sag mal, spinnst du? Zwölf Scheine, Junge!"

„Los, zieh Leine, Boleros! Geh mir nicht auf'n Sack!"

Gespielt gleichgültig sah er in eine andere Richtung. Die Putzfrau hatte aufgehört zu wischen und beobachtete die Szene.

„Hör mal, Roberto. Zwölf Grüne, das ist nichts. Los, ruf den Chef an und frag ihn."

„Ich, den Chef anrufen! Sag mal, geht's dir nicht gut? Er selbst hat mir doch gesagt, ich soll dir zwölftausend auszahlen. Wenn's nach mir gegangen wär... Ich hätte dir 'n Tritt in den Arsch gegeben, und raus!"

„Einen Tritt in den Arsch?"

Boleros zog sich langsam das grüne Jackett aus und legte es sorgfältig über einen Hocker.

„Komm her und tret mich in den Arsch, Roberto, los!"

Der Geschäftsführer griff unter die Theke und zog ein Messer hervor, lang und spitz wie ein Stilett. Blitzschnell packte ich sein Handgelenk und verdrehte es ihm. Jaulend ließ er das Messer fallen. Dann zog ich ihn am Hemdkragen und an der Schulter über die Theke. Vor Schmerzen brüllend, landete er auf den Hockern. Ich hob das Messer auf und warf es in die andere Ecke des Lokals. Der Geschäftsführer hatte sich hochgerappelt, weißer als ein Sack Mehl. Boleros baute sich vor ihm auf.

„Los, Roberto, der Arschtritt!"

„Also... bitte... Sieh mal, ich..." begann der andere stotternd.

Die Schuhspitze vom Boleros traf ihn voll zwischen die Beine. Laut aufheulend, krümmte er sich zusammen.

„Gib's ihm, Boleros!" feuerte die Putzfrau meinen Freund an. „Polier ihm die Fresse!"

Boleros schlug mit der Linken zu. Dann stürzte er sich mit Wutgeheul auf seinen Intimfeind und biß ihm in den Hals. Seine Zähne gruben sich tief ins Fleisch. Der andere brüllte wie am Spieß. Ich mußte die beiden trennen, sonst hätte Boleros ihn erwürgt.

„Laß mich! Den bring ich um! Ich bring den Kerl um, verdammt nochmal!"

„Ist gut, Boleros", beruhigte ich ihn und hielt ihn an den Schultern fest. „Das reicht! Besser, wir haun jetzt ab."

Nach und nach beruhigte er sich, so daß ich ihn loslassen konnte. Er brachte Hemd und Krawatte in Ordnung und zog sich sein Jackett über. Der König der Kämme lag auf dem Boden, wand sich vor Schmerzen und befühlte wimmernd die Wunde am Hals.

Boleros steckte das Bündel Geldscheine in seine Hosentasche und verabschiedete sich von der Putzfrau.

Dann verließen wir den Club *Melodías*. Draußen noch hörten wir das schallende Gelächter der Putzfrau. Sie lachte, daß die Wände wackelten.

Obwohl der Frühling näher kam, waren die Nächte immer noch kalt. Schweigend gingen wir die Calle Toledo hinauf. Die Hände in den Hosentaschen, den Kopf gesenkt, so schlich Boleros neben mir her. Wir betraten die *Bar 21*. In dem länglichen Lokal, das wie ein Eisenbahnwaggon aussah, waren nur wenige Gäste. Wir setzten uns an einen Tisch im Hintergrund und bestellten Kaffee und Kognak. Boleros fing erst an zu reden, als er seinen Kognak getrunken hatte.

„Sie haben die Sauna dichtgemacht, Toni, und die Montse auf die Straße gesetzt. Ich glaub, sie ist nach Barcelona gegangen. In ihrer Pension wohnt sie nämlich auch nicht mehr. Ich kann dir die Adresse geben, aber sie ist ausgezogen."

Er sprach, ohne den Blick vom Tisch zu heben.

„Danke, Boleros, und jetzt erzähl mir mal, warum sie dich rausgeschmissen haben."

„Ich bin kein Spitzel!" rief er. „Das weißt du ganz genau. Ich hab nie jemanden verpfiffen! Mich einen Spitzel zu nennen…"

„Es war meine Schuld, Boleros. Sie haben mitgekriegt, daß du Informationen an mich weitergegeben hast. Deshalb haben sie Druck auf deinen Chef ausgeübt. Stimmt's?"

„Informationen! Ich hab dir doch gar nichts erzählt, Toni! Angst hatte ich, weißt du? Der Kubaner hat einen langen

Arm, sogar auf die Bullen hat er Einfluß. Die Zeiten haben sich eben geändert, Toni. Jetzt sitzen die Latinos am Drükker."

„Die Männer, die damals mit Emilia im *Luna* waren, heißen Rubén Lacrampe und Gustavo. Das ist sein Bruder, der Blonde mit dem Pickelgesicht. Er soll inzwischen wieder in Miami sein. Diesem Rubén gehören die Sauna und ein Club, *El Edén*."

Boleros packte meinen Arm und drückte ihn fest.

„Du hast Schwein, Toni", flüsterte er und sah mich beinahe flehend an. „Vergiß die ganze Geschichte, bitte! Ich weiß nicht, wieviel du schon rausgekriegt hast. Interessiert mich auch nicht. Aber fordere dein Glück nicht noch mehr heraus. Der Kubaner hätte dich schon hundertmal abmurksen können, aber irgend jemand hat ihn davon abgehalten. Irgend jemand hat ,Nein' gesagt, und der Kubaner schäumt vor Wut. Hör auf mich, Toni, mach ein paar Wochen Urlaub!"

Ich trank meinen Kognak aus, und wir versanken in dumpfes Schweigen. Boleros war nervös, unruhig. Hin und wieder sah er sich im Lokal um.

„Du weißt doch, was sie mit Spitzeln machen, oder?"

„Ja."

Er rutschte auf seinem Stuhl hin und her.

„Was ich dir von der Montse erzählt habe, stimmt, ich schwör's dir. Ich verkohl dich nicht. Und was willst du jetzt von mir wissen?"

„Dieser Zazá Gabor arbeitet für den Kubaner, stimmt's? Ja oder nein?"

„Ja. Dem würd ich nicht über den Weg trauen."

„Und dir? Kann ich dir trauen?"

Boleros senkte den Blick. Dann sah er mir ins Gesicht.

„Genausowenig, Toni! Ich gehöre auch zu denen. Wir helfen uns untereinander, wir kennen uns alle. Nein, mir kannst du auch nicht trauen. Keinem kannst du trauen! Der Zazá hat dem Kubaner schon alles haarklein erzählt, was ihr im *Danubio* miteinander besprochen habt. Eine Ratte ist das!" Boleros lächelte mich an. Ein trauriges Lächeln. „Verschwinde von hier, Toni! Geh für 'ne Zeit weg."

„Du bist nett zu mir, Boleros."

„Und du bist ein Rindvieh! Die haben mich rausgeschmissen, als Warnung. Dich haben sie schon mehrmals gewarnt, aber du machst einfach die Augen zu." Er schwieg eine Weile und drückte wieder meinen Arm. „Daß ich hier mit dir zusammensitze, ist nicht gut für meine Gesundheit, Toni", flüsterte er. „Wenn dem Kubaner der Kragen platzt, kann ihn keiner bremsen. Kapierst du? Du hast schon viel zuviel mitgekriegt und treibst dich an Orten rum, wo du nichts zu suchen hast. Verschwinde von der Bildfläche, Toni, such das Weite! Und komm bitte nicht mehr in meine Nähe, ja?"

„In Ordnung, Boleros." Ich holte meine Brieftasche hervor und legte fünfhundert Pesetas auf den Tisch. „Reicht das, oder kostet der Tip mehr? Wieviel willst du?"

„Ich bin kein Judas!" schrie er und sprang auf. „Steck das sofort wieder ein!"

Die anderen Gäste hörten auf zu reden und sahen zu uns rüber. Ich ging zum Ausgang und spürte Boleros' Blick in meinem Rücken.

Ich hätte schwören können, daß kein Haß in seinen Augen lag.

Das Restaurant *El Diamante* befindet sich in der Calle del Pozo, neben einer alten Konditorei, in der man die besten Blätterteig- und Lachspasteten der Welt kaufen kann. Und wenn Sie nach halb zwei nachts noch etwas essen wollen, müssen Sie durch den dunklen Seiteneingang gehen, der nach Katzenpisse stinkt, und an der zweiten Tür links klopfen.

Da es erst zehn Uhr abends war, betrat ich die Konditorei durch den Haupteingang. Als ich die Tür öffnete, erklang ein Glöckchen. Eine Alte mit Brille und Haarknoten stand hinter der Registrierkasse und säuberte sich mit einem Zahnstocher die Zähne. Sie nickte mir kurz zu und fuhr mit ihrer Säuberungsaktion fort.

Das längliche Ladenlokal war durch einen Bogen geteilt.

Im hinteren Teil lag der „Eßsaal". Ich näherte mich lächelnd der Alten an der Theke.

„Ich suche den Akkordeonspieler, Zazá Gabor."

„Der ist noch nicht gekommen... müßte eigentlich schon hier sein... Wollen Sie was von ihm?"

„Er schuldet mir Geld."

„Der Zazá ist unzuverlässig. Sie sehen ja selbst, er ist noch nicht hier."

Ich schüttelte den Kopf.

„Mit Leuten, die sich nicht an Abmachungen halten, läuft nichts. Nichts zu machen."

„Das können Sie laut sagen. So geht's doch nicht! Schuldet er Ihnen viel?"

„Fünfundzwanzigtausend. Hat mir erzählt, seine Frau hätte grade 'ne Operation hinter sich..."

„Seine Frau! Wissen Sie denn nicht, daß er gar nicht verheiratet ist?"

Ihr Busen fing an zu wogen, so als werde sie von einem inneren Lachen geschüttelt.

„Was erzählen Sie da?" fragte ich überrascht.

„Er hat Ihnen was vorgemacht!"

„Das passiert mir immer wieder! Ständig werd ich von Leuten betrogen... Und was mach ich jetzt?"

„Fünfundzwanzigtausend Pesetas? Hahaha! Die Menschen sind schlecht, großer Gott, wie schlecht die Menschen sind."

„Haben Sie vielleicht seine Adresse, Señora?"

„Doch ja, natürlich. Er wohnt gleich hier um die Ecke, in der Calle de la Cruz, direkt neben einem Radiogeschäft. Leicht zu finden, ein roter Ziegelsteinbau."

„Vielen Dank, Señora! Sie wissen gar nicht, wie dankbar ich Ihnen bin!"

„Keine Ursache. Und seien Sie in Zukunft nicht so dumm, hahaha! Leihen Sie niemandem auch nur eine Peseta!"

„Keine Sorge. Kann ich hier mal telefonieren?"

„Dafür brauchen Sie *duros*."

Das Telefon stand hinter der Tür. Ich legte zwei *duros* in die

Rille und wählte meine eigene Nummer. Es klingelte zweimal, dreimal… Niemand hob ab. Ich legte auf, nahm die Münzen aus der Rille und verabschiedete mich von der Alten, die immer noch in ihren Zähnen herumstocherte.

Ich war unschlüssig, ob ich zu Carmencita oder zu Freund Zazá gehen sollte. Dann entschied ich mich für letzteres und nahm Kurs auf die Calle de la Cruz.

Die Kneipen waren gerammelt voll von Leuten, die miteinander redeten und lachten. Gruppen von jungen Mädchen kicherten oder prusteten plötzlich los, während sie die Lokale abklapperten, als ginge es darum, einen Rekord aufzustellen. Durch die großen Scheiben konnte ich geschäftige Kellner sehen, die Bier und Tellergerichte an die Tische brachten, an denen sorglose, glückliche Menschen saßen. Ich betrat eine Telefonkabine, deren Apparat funktionierte, und wählte die Nummer der *Taberna Carmencita*. Jemand nahm den Hörer ab, aber bevor er sich melden konnte, legte ich wieder auf.

Ich ging die Calle de la Cruz weiter hoch, bis ich das Radiogeschäft sah.

Das Haus war tatsächlich aus roten Ziegelsteinen. Es hatte vier Stockwerke und war von den Nachbarhäusern durch eine Art Vorgarten getrennt, der von einer Betonmauer umgeben war. Es gehörte zu den Gebäuden, die während dem fieberhaften Wiederaufbau in den vierziger Jahren erstellt worden waren, eine Mischung aus Kaserne und Nonnenkloster. Eine kleine Treppe führte zum Eingang.

In dem nackten, schlecht gefegten Hausflur fand ich auf einem der Briefkästen den Namen Javier Garrido, Akkordeonlehrer. Ich betrat den Aufzug und drückte auf den Knopf für die vierte Etage. Weit und breit war niemand zu sehen. Oben mußte ich noch ein paar Stufen zu der Wohnung hochgehen. Der Tür fehlte ein ordentlicher Anstrich und mehrere Wochen sorgfältiges Putzen.

Ich drückte auf die Klingel und wartete. Nichts. Ich klingelte noch mal. Das Türschloß war ein billiges, einfaches Modell. Ich holte meinen Personalausweis heraus und schob ihn in den Türschlitz. Das Schloß schnappte auf, und die Tür öffnete sich.

Ich stand im Wohnungsflur. An einem Garderobenständer hingen ein paar Kleidungsstücke. Daneben stand ein Stuhl, dessen Rückenlehne mit Tuch bespannt war. Vorsichtig schloß ich die Tür und knipste das Licht an. Eine Zimmertür stand auf. Die Wohnung roch nach Schweiß und Moder.

Ich ging langsam zu der Tür und stieß sie ganz auf. Das Zimmer hatte zwei Fenster, vor denen Vorhänge aus schwerem Baumwollstoff hingen. Möbliert war es mit einem Korbsessel, der noch ziemlich neu aussah, einer Art Büfett, auf dem das Akkordeon, ein billiges Radio und ein Krug mit Trockenblumen standen. Der Teppich in der Mitte des Zimmers schrie nach einem Staubsauger. An den Wänden hingen verblaßte billige Drucke über einem blauen Skaisofa. Das war alles... jedenfalls was die Möbel betraf.

Denn auf dem Sofa lag Zazá mit zertrümmertem Schädel. Wo vorher die Stirn gewesen war, sah man jetzt ein Mischmasch aus Hirn, Knochen und Blut. Viel Blut, das sich aufs Sofa und den Boden verteilt hatte. Auch die Wand war damit vollgespritzt. Zazá trug seine rosafarbene Kordhose und das weiße Hemd mit den aufgekrempelten Ärmeln, das jetzt allerdings die Farbe der Hose angenommen hatte.

Man hatte sich richtig Mühe gegeben, hatte sorgfältige Arbeit geleistet. Denn das hier war nicht das Werk von ein, zwei Schlägen, sondern von einer ganzen Serie.

Ich konnte nicht näher an die Leiche rangehen, um zu fühlen, ob sie warm oder kalt war. Der Boden vor dem Sofa war voller Blut, und da hineinzutreten, schien mir für den Augenblick unangebracht. Da das Blut aber noch nicht völlig geronnen war, nahm ich an, daß Zazá erst seit zwei oder drei Stunden tot war.

Ich hätte noch etwas bleiben können, um mich in der Wohnung umzusehen und seine Sachen zu durchsuchen. Aber ich tat es nicht. Fragen Sie mich nicht, warum.

Ich ging zur Wohnungstür zurück, verwischte mit meinem

Taschentuch eventuelle Fingerabdrücke und trat hinaus in den Hausflur. Es war niemand zu sehen.

Ich ging hinunter und wußte wieder, daß Blut einen widerlich süßlichen Geruch verbreitet.

Eine halbe Stunde später setzte mich das Taxi vor der *Taberna Carmencita* in der Calle de la Libertad, Ecke Calle de San Marcos ab. Es war fünf vor halb zwölf.

Rafa begrüßte mich, ein schmächtiger Kellner, so um die dreißig, mit Brille und lebhaften Gesten.

„Deine Freundin ist schon weg, Toni", sagte er.

In dem dämmrigen Lokal saßen nur noch drei oder vier späte Gäste. Ich begrüßte Pepe, Rafas Vater, und Carmen, seine Tante.

„Du machst vielleicht 'n Gesicht! Was hast du?"

„Nichts. Wann ist Lidia gegangen?"

„Vor etwa einer Viertelstunde. Willst du 'n Wein?"

„Ja."

Er stellte mir ein Glas Valdepeñas hin, einen Wein aus der Provinz Toledo. Das Wasser, das hineingeschüttet wird, schmeckte man gar nicht. Ich trank aus, und Rafa füllte nach.

„Lidia war fuchsteufelswild. Kennst du viele von ihrer Sorte?"

„Hab davon zu Hause 'n ganzen Harem voll... Sag mal, Rafa, warst du schon mal im *Edén*?"

„Schon öfter. Ist 'n besserer Puff. Wieso? Willst du jetzt dahin gehen? Heute kann ich aber nicht."

„Sagt dir der Name Rubén Lacrampe was?"

„Klar, der Kubaner. Dem gehört der Bums. Das ist 'n ganz gefährlicher Zuhälter, kontrolliert Montera, Valverde und El Barco. Außerdem versorgt er die meisten Bars in dieser Gegend mit Nutten."

„Du hast dein ganzes Leben in dieser Straße zugebracht, Rafa. Du kennt dich doch hier aus. Weißt du was über den Bruder von diesem Rubén? Etwa dein Alter, blond, Pockennarben im Gesicht."

„Wußte gar nicht, daß der Kubaner 'n Bruder hat… Du siehst aus, als ob du Sorgen hättest, Toni. Was ist mit deinem Gesicht passiert? Boxt du wieder?"

„Nein."

„Gehst du jetzt noch ins *Edén*?"

„Glaub nicht, erst mal geh ich zu Lidia und versuche, ihren Dampf etwas abzulassen."

„Gute Idee, finde ich. Noch ein Glas?"

„Nein, danke. War sie sehr wütend?"

„Kann man wohl sagen. Willst du noch was essen? Es gibt Lammhirn."

„Ich will kein Lammhirn, Rafa! Sprich dies Wort bitte nicht mehr aus."

„Das hast du doch immer so gerne gegessen."

„Mir ist der Appetit vergangen."

„Also willst du gar nichts essen?"

„Nein."

Ich zahlte den Wein und ging.

17

Ich weiß nicht, ob man mir schon länger gefolgt war oder ob ich es mir nur einbildete. Aber als ich aus der *Taberna Carmencita* kam, fühlte ich mich beobachtet. Ich ging durch die Calle de la Libertad zur Calle de las Infantes. Auch noch auf der Avenida de Gran Vía hatte ich dieses seltsame Gefühl im Nacken.

Neben mir gingen harmlose Passanten: Männer, Frauen, Alte, Jugendliche, lärmende Fünfzehnjährige, schmusende Pärchen... Ich blieb an einem Zeitungskiosk stehen, blätterte im *Diario* 16... und da sah ich ihn: Etwa fünf Meter hinter mir schlenderte er, einem heimkehrenden Familienvater täuschend ähnlich, die Straße entlang. Er hatte seine Hände in dem Gabardinemantel vergraben, sein Blick war gleichgültig-zerstreut, aber sein Bart war unverwechselbar: Loren, der Geschäftsführer der Sauna *El Sirocco*.

Ich legte die Zeitung zurück und eilte auf die nächste Ampel zu. Hinter mir hörte ich seinen keuchenden Atem, ich drehte mich um, und schon hatte Loren mich am Arm gepackt. Sein brutales Gesicht war rot vor Anstrengung. Etwas Hartes drückte er mir in die Rippen.

„Keine Bewegung!" raunte er mir zu. „Oder ich bring dich gleich hier um."

„Was willst du?"

Er keuchte immer noch. Seine Nähe, vor allem die seiner Visage, gefiel mir gar nicht; aber der Druck in meiner Seite riet mir, zu tun, was er wollte.

„Wir zwei gehen jetzt erst mal ein wenig spazieren", sagte Loren.

Er nahm kurz die rechte Hand aus der Tasche. Ich sah den

Lauf einer großkalibrigen Automatic mit Schalldämpfer. Sah nach einer *Browning* aus.

„Wohin?"

„Wirst du schon merken. Und ich sag dir: Keine Zicken, sonst hast du 'n paar Löcher im Fell. Die Geschichte in der Sauna hab ich noch sehr gut in Erinnerung... Du steckst jetzt die Hände in deine Hosentaschen und läßt sie drin, bis ich was anderes sage. Hast du verstanden?"

Der Druck seiner Pistole wurde stärker.

„Ja."

„Also, gehn wir!"

Wir marschierten los. Erst die Avenida de Gran Vía weiter hinauf, dann durch die Calle del Valverde. Frauen schlenderten alleine oder in kleinen Gruppen durch die Straße, während Männer aller Altersstufen darauf zu warten schienen, daß etwas vom Himmel fiel. Von uns mußte irgendein seltsamer Geruch ausgehen. Denn die Leute machten einen großen Bogen um uns und gingen dann schnell weiter.

„Kugeln sind schneller, du Klugscheißer", raunte Loren mir zu, so als habe er meine Gedanken erraten. „Versuch's nur. "

„Wohin bringst du mich?"

„Frag nicht soviel und geh weiter."

Wir bogen in die Calle del Desengaño ein. Ich sah die Fassade des Cabarets. Es hieß nicht *El Edén*, wie mir erzählt worden war, sondern *New Eden*. Ich nehme an, wegen der modernen Zeiten.

Wir gingen zu einem dunklen Seiteneingang. Loren ließ meinen Arm los und nahm die Hand, in der er die Automatic hielt, aus der Tasche. Trotz der Dunkelheit war ich jetzt sicher, daß es eine *Browning* war. Während er die Waffe auf mich richtete, holte er einen Schlüssel aus den Tiefen seiner Taschen und schloß die graue Tür auf. Bis hierher hörte man gedämpfte Musik. Loren knipste das Licht an. Eine steile Treppe führte nach unten zu einem Gang, der mit Bierkästen und allem möglichen Kram vollgestellt war.

„Da runter!" befahl Loren mit einer Bewegung seiner *Browning*.

Ich gehorchte. Er schloß die Tür, und ich ging vor ihm die Treppe hinunter, dann den Gang entlang. Keiner von uns sagte ein Wort. Die Musik kam näher. Vor einer Tür, die von einer trüben Birne beleuchtet wurde, mußte ich stehenbleiben.

„Leg dich auf den Boden!" befahl Loren. „Ich hab gesagt, du sollst dich hinlegen!"

Wieder gehorchte ich. Der Boden war feucht und roch nach Schimmel. Weiter hinten endete der Gang im Heizungskeller des Gebäudes. Ich hörte, wie Loren die Tür öffnete. Licht fiel in den Gang, die Musik wurde noch lauter.

„Steh auf und geh rein!"

Ich klopfte meine Hose ab und ging durch die Tür. Das Orchester spielte *Tea for two*, wie ich jetzt ganz deutlich hörte. Wahrscheinlich befanden wir uns direkt hinter der Tanzfläche. Ein Kellner im schwarzen Anzug ging an uns vorbei. Er sah durch uns hindurch, ausdruckslos, so als wären wir Luft.

„Wir sind da", sagte Loren. „Hier rein."

Er stieß mich zu einer Tür, auf der in goldenen Buchstaben „Privat" stand. Dahinter wieder ein Gang, diesmal jedoch mit Teppichboden. Auch roch es nicht modrig. Ganz hinten befand sich eine lackierte Tür mit der Aufschrift „Büro". Hinter anderen Türen hörte ich Stimmen und das Klappern einer Schreibmaschine. Aber Lorens Ziel war das Büro. Er öffnete die Tür, und wir gingen hinein.

Es war mehr ein Saal, die perfekte Kopie eines englischen Büros. An Wänden mit Leinentapete standen schwere Regale mit dicken Büchern, hingen wertvolle Drucke mit alten Segelschiffen im Sturm und Pferden, die am bedrohlich schäumenden Meer entlangliefen. Hinten stand ein massiver Mahagonischreibtisch, der ideale Platz für einen dicken Aschenbecher, ein Telefon und eine grüne Schreibunterlage. Ein Chesterfield-Sofa, ein Tischchen und zwei Sessel gaben dem Ganzen einen gemütlichen Anstrich.

„Leg die Hände in den Nacken", befahl Loren.

Er durchsuchte mich schnell und routiniert.

„Seit wann bist du mir gefolgt?" fragte ich.

„Soll dir egal sein", knurrte er und fuchtelte mit der *Browning* vor meinem Gesicht herum. „Jetzt machen wir's uns erst mal gemütlich."

Er drückte mich auf das Sofa und setzte sich, etwa zehn Meter von mir entfernt, in einen der Sessel. Von dort aus konnte er mich bequem abknallen. Er sagte nichts, tat nichts, außer die Waffe auf mich zu richten.

Eine *Browning GP*-35 wiegt fast ein Kilo, und in das Magazin passen drei Kugeln vom Kaliber 9 Parabellum. Man kann auch mehrere hineintun, aber dann riskiert man, daß sie stekkenbleiben. Jeder halbwegs Vernünftige lädt also das Magazin nur mit drei Kugeln.

Der Kerl, der vor mir saß und die Waffe unverwandt auf mich richtete, schien alles andere als vernünftig zu sein. Deshalb wollte ich's nicht drauf ankommen lassen und blieb auf dem Sofa sitzen. Aus dieser Entfernung kann dir eine 9er Parabellum ein Loch in den Körper reißen, in das ein Fußball paßt.

Ich fragte nicht, ob ich rauchen dürfe, sondern zündete mir einfach eine Zigarette an. Da Loren mich nicht erschoß, ging ich davon aus, daß es ihn nicht weiter störte, und rauchte die ganze Zeit. So saßen wir schweigend da, bis die Musik abbrach und man Stimmengewirr durch die Wand hörte.

Das Telefon klingelte. Loren ließ es zweimal klingeln und ging dann langsam zum Apparat, ohne die *Browning* und seinen Blick von mir zu wenden.

„Ja?" Er nickte. „Ja, Señor, in Ordnung… Ja, wie Sie meinen… Das glaub ich gerne… Wird kein Problem sein, dafür garantiere ich."

Er legte auf und sah mich schweigend an. Schließlich sagte er:

„Steh auf, wir gehen spazieren."

„Ich will mit deinem Chef reden."

„Genau das werden wir tun. Der Chef kann nämlich nicht herkommen, er ist sehr beschäftigt."

„Rubén Lacrampe, nicht wahr?"

Loren bewegte die Pistole.

„Ja, und jetzt steh endlich auf."

Ich gehorchte. Er stellte sich hinter mich.

„Zieh die Jacke aus", befahl er. „Und keine Tricks, wie neulich in der Sauna. Darauf fall ich kein zweites Mal rein."

Ich legte mein Jackett über das Sofa.

„Was spielen wir jetzt, Loren?"

„Steck die Hände hinten in deinen Gürtel."

Ich zog den Bauch ein, um meine Hände hinten in den Hosenbund zu stecken. Verdammt! Daß ich so enge Hosen tragen mußte!

„Gut, und jetzt geh, ohne dich umzudrehen!"

Er vergewisserte sich, daß meine Hände tief im Hosenbund steckten. Dann legte er mir mein Jackett um die Schultern.

„Hör gut zu, was ich dir jetzt sage. Der Chef will dich lebend sehen. Aber wenn du eine plötzliche Bewegung machst, leg ich dich um. Hast du kapiert?"

Er hatte mich umgedreht und zielte mir genau zwischen die Augen.

„Ja."

„Also dann, los!"

Loren öffnete die Tür und schob mich hinaus auf den Gang. Alles war still, unsere Schritte waren auf dem Teppichboden nicht zu hören. Loren gab mir bei jedem Schritt einen kleinen Stoß. So betraten wir von hinten die Tanzfläche.

Der dämmrige Saal war leer, in der Luft hing der Geruch von Tabak und Frauen. Loren schob mich zwischen den Tischen hindurch zu einem der Ausgänge. Er öffnete die Tür. Kühle Luft schlug mir entgegen, erfrischte mich aber nicht. Wir standen auf der Straße.

„Weißt du, was für Löcher ein Schuß aus einer *Browning*

reißen kann? Bestimmt weißt du das! Also, sei ein braver Junge und geh zu dem Wagen da."

Eine riesige Limousine parkte am Straßenrand. Weit und breit war kein Mensch zu sehen. Das bärtige Faß stieß mich über den Bürgersteig zum Wagen. Mit einer Hand öffnete er den Kofferraum.

„Los, da rein", zischte er. „Und keine Dummheiten!"

„Ich würde lieber vorne sitzen."

Seine Manteltasche beulte sich aus.

„Steig da rein, aber schnell, sonst bring ich dich um!"

„Wohin fahren wir?"

„Rein da", knurrte er, „oder ich mach dich alle!"

Ich kletterte in den Kofferraum. Ich wußte, daß Loren keinen Spaß machte. Er würde mich umbringen, wie er eine Wanze zerdrücken würde.

Ich hörte den Schlüssel im Schloß, dann das Brummen des Motors. Der Wagen setzte sich in Bewegung. Es roch nach Schmierfett. Blind untersuchte ich den Kofferraum. Ich fand einen alten Lappen und ein Stück Pappe. Nichts, womit ich das Schloß von innen öffnen konnte. Wenn es sich überhaupt öffnen ließ...

Ich legte mich auf den Rücken und drückte mit den Knien gegen die Kofferraumhaube. Dann versuchte ich's mit Händen und Füßen, aber ich hatte nicht genug Platz. Ich fing an zu keuchen. Die Luft wurde knapp, und ich konnte meine Glieder nicht strecken. ‚Ruhig, ruhig', ermahnte ich mich. ‚Nur nicht nervös werden! Denk lieber darüber nach, wie du hier rauskommst.' Mir brach der Schweiß aus, so als hätten sich meine sämtlichen Poren gleichzeitig geöffnet. Ich kam mir vor wie ein Tier, das zur Schlachtbank geführt wird. Nur mit dem Unterschied, daß die Tiere es nicht wissen.

Ich aber wußte es. Man würde mich töten. Lacrampe war kein Anfänger. Diese Reise ging an einen einsamen Ort, wo man mich einfach über den Haufen schießen würde.

Ich strengte mein Ohr an und bemerkte, daß der Wagen mit hoher Geschwindigkeit fuhr. Schreien oder Klopfen war zwecklos. Mir fiel keine Möglichkeit ein, wie ich hier rauskommen könnte. Und diesen Loren wurde ich auch nicht los. Er war schlau, wirklich schlau. Hatte keinen einzigen Fehler gemacht, während ich eine Unvorsichtigkeit nach der andern begangen hatte.

Wieder betastete ich das Schloß. Vielleicht konnte ich es mit einem spitzen Gegenstand knacken. Mein Hirn arbeitete. ‚Die Gürtelschnalle!‘ fuhr es mir durch den Kopf.

Zuckend und ruckend zog ich meinen Gürtel aus den Ösen. Die Schnalle war aus Stahl. Sie mußte ja auch das Gewicht meiner *Gabilondo* aushalten. Ich stocherte mit dem Dorn im Kofferraumschloß, spannte alle meine Sinne an. Ich probierte es immer wieder, bis mir die Finger wehtaten. Ohne Erfolg. Keuchend ließ ich mich auf den Boden fallen.

Der Wagen fuhr immer noch sehr schnell. Dem Geräusch und dem Geschaukel nach zu urteilen, fuhren wir auf einer schlecht gepflasterten, kurvenreichen Straße. ‚Hier wird er's machen‘, dachte ich. ‚Er kann in aller Ruhe auf dich schießen, wie auf eine Zielscheibe. So einfach ist das!‘

Plötzlich wurde scharf gebremst, der Wagen stand. Ich weiß nicht, wie lange die Fahrt gedauert hatte. Eine Stunde, zwei Stunden, drei… Während ich vergeblich versucht hatte, hier rauszukommen, hatte ich jeglichen Zeitsinn verloren. Das einzige, was dabei herausgekommen war, waren Schmerzen und Krämpfe in Armen und Beinen.

Ich hörte, wie die Wagentür geöffnet wurde. Loren ging über so was Ähnliches wie Kies. Ich spitzte die Ohren, um sonst noch was zu hören. Aber ich hörte ihn nur wie einen Wolf husten, dann herrschte Grabesstille. Wir waren irgendwo angekommen. Aber wo? Und vor allem: zu welchem Zweck?

18

Ich lag noch eine ganze Weile im Kofferraum. Dann hörte ich, wie ein anderes Auto näher kam. Das Geräusch wurde immer lauter, bis der Wagen gleich neben mir hielt. Türen wurden zugeschlagen, Schritte auf dem Kies vermischten sich mit rauhen Stimmen. Jemand lachte laut und lange, wobei er mehrmals auf den Kofferraum schlug.

Ich hatte das Gefühl, daß sie immer um den Wagen herumgingen und redeten und lachten, so als handle es sich um einen Ausflug aufs Land.

Endlich wurde der Kofferraum geöffnet.

Das erste, was ich sah, war, daß ich nichts sah. Es war bereits Nacht. Dann sah ich den Lauf von Lorens *Browning* auf meinen Kopf gerichtet. Das war schon fast wie eine Zwangsvorstellung. Daneben leuchtete die Glatze von Santos. Und dann bemerkte ich noch einen Mann, sehr groß, breitschultrig, die Hände in den Taschen eines zweireihigen Jacketts. Ich erkannte in ihm Rubén Lacrampe wieder, den Kubaner.

Im Dunkeln wirkten die drei wie Gestalten, die geradewegs aus der Hölle kamen. Und da alles sehr lustig war, lachten sie.

„Komm raus!" befahl Loren.

Auch er rang sich ein Lächeln ab, um nicht hinter seinen Bossen zurückzustehen.

Ich hatte wieder Boden unter den Füßen und konnte frische Luft atmen. Jetzt sah ich auch den *Dodge* von Santos. Die Scheinwerfer warfen ihr Licht bis zu der Stelle, an der ich stand. Soweit ich sehen konnte, befanden wir uns in einem dichten Waldstück. Der Wind bewegte die Baumkronen. Hinter den drei Männern erkannte ich das Baugerippe eines Hauses.

„Wie geht's, Junge?" begann der Kubaner. „Hattest du 'ne gute Fahrt?"

„Was hat das zu bedeuten, Santos?" fragte ich.

„Daß du zu weit gegangen bist, Toni", antwortete mein ehemaliger Kollege, „das hat das zu bedeuten! Du wolltest deine Grenzen nicht sehen."

„Noch nie in meinem Leben hab ich einen gekannt, der so gerne sterben wollte", sagte der Kubaner. „Das hast du dir ganz alleine zuzuschreiben, kleiner Scheißer!"

„Und jetzt?" fragte ich.

„Die Reise ist zu Ende", antwortete Loren und streichelte seine Automatic.

„Mein lieber Mann", sagte ich, „so viele Umstände! Dagegen war das mit Zazá die reinste Stümperei."

„Ja", sagte der Kubaner, „da hast du recht. Ich glaube, Loren will jetzt endlich zeigen, was er kann. Stimmt's Loren?"

„Ja, Señor Lacrampe."

„Warum hast du ihm den Schädel eingeschlagen?" fragte ich Loren. „Der Zazá gehörte doch zu euch!"

Loren sah seinen Chef an und zuckte die Achseln.

„Er hat uns für Geld Informationen über dich angeboten", antwortete der Kubaner. „Armer Alter! Als Loren ihm sagte, das sei nicht mal das Geld für die Metro wert, wurde er wohl böse. Die beiden haben sich nie gut verstanden... War's nicht so, Loren?"

„Ja, Señor Lacrampe."

„Mit dir wird er sich mehr Mühe geben. Hinter dem Haus da – gibt es einen Brunnen. Den wollen wir zumauern. Du wirst den ersten Stein abgeben."

Ich sah mich um. Nur schweigsame, dunkle Bäume. Ich holte mein Päckchen Zigaretten raus und steckte mir eine an.

„Darf ich?"

„Bringen wir's endlich hinter uns!" rief der Kubaner. „Ich muß zurück nach Madrid."

„Der letzte Wunsch", sagte Santos.

„Also gut, rauch deine Zigarette."

Ich lehnte mich gegen den Wagen und inhalierte den Rauch. Die Baumkronen wogten hin und her. Ihr Rauschen erfüllte die Nacht.

„Du kannst uns wirklich nicht nachsagen, daß wir dir keine Chance gegeben hätten", sagte der Kubaner. „Aber du wolltest nun mal nicht für uns arbeiten. Dabei hat dein Schutzengel…" Er zeigte auf Santos… „viele Worte und viel Zeit mit dir verloren. Aber du störrischer Esel wolltest ja nicht hören. Hast deine Nase in Dinge gesteckt, die dich nichts angehen!"

„Das hast du nun davon", sagte Santos. „Schade um dich."

Der Kubaner sah auf die Uhr.

„Wie lange brauchst du noch für eine Zigarette, Junge?"

Ich würde mich nicht einfach vor einem Brunnen von hinten abknallen lassen! Sobald ich die Zigarette beendet hatte, wollte ich mich auf den Bärtigen stürzen, damit er mich gleich hier erschießen würde. Wenn er richtig zielte, konnte das ein sanfter, ruhiger Tod sein.

Ich nahm noch einen Zug.

„Nerven hat der!" bemerkte der Kubaner. „Dein Freund hatte recht, als er uns überreden wollte, dich nicht zu töten."

„Danke, Santos", sagte ich.

„Also, wirklich!" rief der Kubaner. „Ein Kerl ist das!"

„Ja, mutig ist er", sagte Santos. „Ich geh mit zum Brunnen, Loren. Nur zur Sicherheit."

„Nicht nötig, Señor Santos." Der Bärtige grinste. „Wirklich nicht. Der trickst mich nur einmal aus. Hab ihn schließlich ganz alleine von der Gran Vía hierher gebracht."

Santos schob die Hand langsam in sein Jackett und holte einen versilberten Revolver raus, der im Scheinwerferlicht blinkte. Es war ein *Nagant*. Er drehte die Trommel und kontrollierte, ob die Waffe geladen war.

„Zur Sicherheit, Loren."

Der Bärtige sah seinen Chef fragend an.

„Laß ihn mitgehen, Loren."

„Na gut, in Ordnung."

Der letzte Zug an der Zigarette. Die Kippe verbrannte mir die Finger. Ich warf den glimmenden Rest auf den Boden. Nacken- und Bauchmuskeln hatten sich in Blei verwandelt.

Santos legte mir seinen Arm um die Schultern.

„Komm, Toni, gehn wir!"

Plötzlich riß er die Waffe hoch und zielte. Das Mündungsfeuer wirkte in der Dunkelheit wie eine Feuerzunge. Zweimal war der Schuß zu hören, ähnlich einem knallenden Sektkorken. Zwei rote Punkte, nicht größer als eine Peseta, zierten Lorens Stirn. Er öffnete den Mund, sein Blick wurde glasig, er trat zwei Schritte zurück. Die Scheinwerfer des *Dodge* erfaßten ihn. Er sackte auf die Knie, wollte den Arm mit der *Browning* heben, stöhnte dann aber nur auf und fiel zur Seite.

Ich warf mich auf den Boden. Die kleinen Steinchen drangen mir in die Ellbogen. Der Kubaner stieß einen Schrei aus und rannte zum *Dodge*. Seine Schuhe wirbelten eine Wolke von Staub und Kies auf. Santos dreht sich zu ihm um. Mit gespreizten Beinen stand er da, die Arme nach vorn gestreckt, den *Nagant* in beiden Händen haltend, so wie wir's auf der Polizeischule gelernt hatten.

Dreimal schoß das Mündungsfeuer aus dem Revolverlauf. Der Kubaner stolperte, sein Kopf schlug hart auf das Autoblech. Seine Hände wollten sich an der Wagentür festhalten, blieben dort eine Weile, die mir endlos lang vorkam. Dann sah ich, wie Rubén Lacrampe abrutschte und mit dem Rücken auf den Kiesweg fiel.

Ich kroch zu der Leiche des Bärtigen und riß ihm die Waffe aus den verkrampften Fingern. Ich sprang auf, die *Browning* auf Santos gerichtet, der die Leiche des Kubaners anstarrte. Zwei dunkle Gestalten, die eine aufrecht, riesig groß, die andere ein Bündel auf dem Boden. Das Scheinwerferlicht war wie ein Schützengraben zwischen ihnen und mir.

„Laß den Revolver fallen, Santos!" schrie ich.

Er hob den Kopf und sagte langsam:

„Wir dürfen keine Zeit verlieren. Wir müssen so schnell wie möglich hier verschwinden."

Er sprach, als handle es sich um etwas ganz Beiläufiges. Ruhig steckte er den *Nagant* in sein Schulterhalfter und stieß Rubéns Leiche mit dem Fuß an.

„Hilf mir, Toni. Wir legen die beiden in Lorens Auto. Und beeil dich, bleib nicht wie angewurzelt da stehen!"

Er öffnete den Kofferraum seines Wagens und holte einen weißen Kanister raus. Dann packte er den Kubaner an den Achseln und schleifte ihn zu der Stelle, wo ich stand. Er öffnete die Tür an der Fahrerseite und sah mich an.

„Hilfst du mir, oder nicht?" fragte er.

Ich ließ die *Browning* fallen und packte die Fußgelenke der Leiche. Sie war warm, und außer dem Nacken, der aus tropfnassem Schlamm zu bestehen schien, deutete nichts darauf hin, daß der Kubaner tot war. Wir legten ihn mit dem Oberkörper übers Lenkrad. Dann öffnete Santos die hintere Tür, und wir holten Loren.

Der Bärtige hatte die Augen weit aufgerissen. Er war schwerer als sein Chef. Wir setzten ihn in den Wagenfond. Santos hob die *Browning* auf und legte sie neben Rubén Lacrampe. Dann schleppte er, keuchend vor Anstrengung, den Benzinkanister herbei, schraubte den Verschluß auf und goß die stinkende Flüssigkeit auf die Kleider der Leichen, in das Wageninnere und den Kofferraum. Den Rest kippte er auf das Wagendach, dann warf er den Kanister neben den Kubaner. Er riß ein Streichholz an, schützte die Flamme mit seinen riesigen Pranken und zündete die Karosserie an. Das Feuer loderte bläulich auf, dann, innerhalb von Sekunden war der Wagen von einem Feuermantel umgeben. So müssen bei den Wikingern die Scheiterhaufen zum Verbrennen der Toten ausgesehen haben.

„Los, gehn wir. In einer Minute explodiert das Ganze."

Santos nahm meinen Arm, und wir liefen zum *Dodge*. Der Wagen sprang sofort an, Santos wendete und raste den Waldweg entlang. Ich sah mich um, Lorens Wagen war nur noch ein prasselndes Feuer, das die Bäume ringsum und das Baugerippe wie eine riesige Fackel beleuchtete.

Ich zündete mir eine Zigarette an und versuchte, das wahnsinnige Zittern meiner Hände zu verbergen. Der brennende Wagen hinter uns wirkte wie ein Leuchtturm in einem Meer schwarzer Bäume. Santos hielt an und drehte sich um.

„Eigentlich hätte er schon explodieren müssen", bemerkte er.

Fast gleichzeitig knallte es zweimal, beim zweiten Mal lauter als beim ersten. Eine Feuerzunge loderte bis zu den Baumkronen auf. Santos ließ den Wagen wieder an.

„Die wird man so schnell nicht wiedererkennen", murmelte er, „wenn überhaupt." Ein tiefer Seufzer. „Tut mir leid, Toni... für das, was du ausgestanden hast. Aber es ließ sich nicht anders machen. Der Boleros hat mir erzählt, Rubén würde sich nicht mehr sicher fühlen in seiner Haut, nachdem du ihn mit Emilia in deiner Disko gesehen hast. Ich hab mich dafür verbürgt, daß du die Schnauze hältst, aber er wollte sichergehen."

„Hab den Eindruck, alle Welt wußte, was mit mir passieren sollte... nur ich nicht." Ich blies den Zigarettenrauch gegen den Wagenhimmel. „Der Boleros hat dich also angerufen? Und jedesmal, wenn du mir vorgeschlagen hast, für Céspedes zu arbeiten, wolltest du mir das Leben retten, Santos?"

„Halb und halb. Bis gestern abend war Céspedes davon überzeugt, daß du mit dem Chauffeur unter einer Decke gesteckt hast. Es hatte also keinen Sinn, dich umzubringen und den Chauffeur frei rumlaufen zu lassen. Aber gestern hat sich Zacarías mit mir in Verbindung gesetzt und die Sache mit Céspedes geregelt. Zacarías war schlauer als du, Toni! Die Sache war damit für Céspedes erledigt, aber nicht für den Kubaner. Der hat dir nicht getraut. Du hättest jederzeit mit dem, was du wußtest, zur Polente gehen können."

Ich drückte meine Zigarette im Aschenbecher aus und lehnte mich zurück. Unendliche Müdigkeit lähmte meinen ganzen Körper. Holpernd fuhren wir über Waldwege, bis wir auf eine Nebenstraße und von dort auf die Autobahn La Coruña-Madrid gelangten.

Santos fuhr schweigend, in Gedanken versunken. Die Lichter der Autobahn warfen Spinnennetze auf sein Gesicht und seine Glatze.

„Warum hast du dich so für mich eingesetzt, Santos?"

Er machte eine ungeduldige Bewegung.

„Was weiß ich, Toni", knurrte er, ohne mich anzusehen. „Frag mich nicht! Du bist immer sauber geblieben, Toni, ein Vorbild für das ganze Kommissariat." Hörte sich an wie 'ne Litanei. „Der einzige, der den Chef angeschnauzt hat, der einzige, der den Mund aufgemacht hat, wenn sie uns geschleift haben… Du hast immer für das gekämpft, was du für richtig gehalten hast. Du warst der, der ich immer sein wollte, aber nie war. Ich hab dich immer bewundert, Toni. Wär gerne so gewesen wie du." Er sah flüchtig zu mir rüber, traurig, melancholisch. „Sieh mich doch an, Toni! Weißt du, was aus mir geworden ist? Ich bin der Laufbursche von Céspedes, der, der die Kastanien für ihn aus dem Feuer holt. Nach so vielen Jahren bei der Polizei sorge ich dafür, daß Streiks gebrochen werden, beeinflusse Leute von der Gewerkschaft und beobachte Arbeiter, die dieses Schwein von Céspedes und seine Wichser für rot halten. Und verdiente viel Geld damit, ja, sehr viel Geld! Ja und? Er behandelt mich wie den letzten Dreck… Und ich werd dir was sagen, Toni: Wenn du auf Céspedes' Vorschläge eingegangen wärst, hättest du mich im Grunde enttäuscht. Obwohl das 'ne Lebensversicherung für dich gewesen wär…"

„Egal, Santos, jedenfalls hast du mir das Leben gerettet, und das werd ich dir nie vergessen! Aber ich will dir auch was sagen: Seit ich dich bei der Kripo kennengelernt habe, hab ich dich für einen Scheißkerl gehalten. Deine Angebereien haben mich immer angekotzt, deine Protzerei mit der Blechmarke, der Spaß, mit dem du Leute verprügelt hast, und all diese kleinen Übergriffe, die so leicht zu vertuschen sind in einem Polizeiapparat, der von niemandem kontrolliert wird. Aber du hast viel riskiert, damit diese Bestien mich nicht in den Brunnen werfen konnten. Ich steh in deiner Schuld, Santos."

„Ich hab schon vor einigen Jahren meine Selbstachtung verloren. Und das ist etwas, was man einfach nicht verlieren darf! Es fängt ganz harmlos an, durch eine Lappalie, und dann geht's bergab."

„Wie bei Marques, Suárez und Frutos."

„Frutos macht's nicht wegen Geld. Ihm geht's um die Beförderung. Er ist ein guter Polizist; aber ein guter Polizist ist ein armer Polizist... Jetzt hat er offiziell Anweisung, den Fall zu den Akten zu legen. So kriegt er wenigstens kein schlechtes Gewissen. Heute fährt er nach Barcelona und drückt noch mal die Schulbank, und das alles nur, um als Kommissar in Pension zu gehen!"

„Dann wurden Frutos' Ermittlungen eigentlich von Céspedes geleitet?"

„Nicht direkt. Über Celso."

„Aber Frutos ist doch nicht blöd. Er wußte das."

„Ja, sicher", murmelte Santos. „Aber er hat nur noch zwei Jahre bis zur Pensionierung."

„Santos..."

„Keine Fragen mehr, Toni", unterbrach er mich. „Ich arbeite immer noch für Céspedes."

Ich sah auf die Uhr, es war drei Uhr morgens. In den letzten Stunden war ich um zehn Jahre gealtert. Es herrschte nur wenig Verkehr im Viertel Moncloa und auf der Calle de la Princesa. In den beleuchteten Schaufenstern waren hübsche Dinge zu sehen, Kleider, Geschenke. Mit diesem Glanz konkurrierten die Leuchtreklamen der Diskotheken und Nachtbars.

„Eine letzte Frage, Santos. Wo hat sich der Chauffeur die ganze Zeit versteckt?"

„Vergiß die Geschichte, Toni, und laß Zacarías in Frieden."

„Für mich ist die Geschichte vergessen und begraben, Santos. Werd mich bestimmt nicht mehr reinmischen, Céspedes kann ganz beruhigt sein. Aber dieser Zacarías schuldet mir noch was."

„Versprich mir, Zacarías nicht zu verraten, daß ich dir seine Adresse gegeben hab."

„Versprochen. Spuck's schon aus!"

„Calle del Roble 24, das ist am Ende der Calle de López de Hoyos, in der Neubausiedlung La Chopera. Er hat da ein zweistöckiges Haus mit Swimmingpool. Die Immobilienfirma, die die Siedlung gebaut hat, gehört Cazzo, oder besser gesagt, seinen Erben. Wunderst du dich nicht? Ich muß zugeben, ich war sehr überrascht, als ich das gehört habe."

„Dieser Chauffeur mischt ganz gut mit", stellte ich fest.

„Den Eindruck hab ich auch. Deswegen hat Céspedes sich ihn ja auch an Land gezogen." Er schenkte mir ein müdes Lächeln. „Ich bin ausgebrannt, Toni. Vielleicht setz ich mich ab, hab etwas Geld gespart."

Da ich schwieg, sagte er auch nichts mehr. Wir fuhren die Gran Vía hoch, dann die Calle Montera zur Puerta del Sol.

Mit einem kräftigen Händedruck verabschiedeten wir uns.

19

Ich schlief mehr als fünfzehn Stunden und träumte, daß ich von einem Mann, der zwei blutige Löcher in der Stirn hatte, in einen endlos tiefen Brunnen gestoßen wurde. Als ich aufwachte, war ich nicht besonders ausgeruht, aber nach zwei eiskalten Duschen sah ich das Leben schon wieder mit anderen Augen an.

Um halb sieben, als die ersten abendlichen Schatten schon auf das Pflaster fielen, saß ich rauchend in einem Taxi. Dem Fahrer hatte ich die neue Adresse von Zacarías genannt. Der *Gabilondo* an meinem Gürtel wirkte sehr beruhigend.

Wie alle Straßen der Wohnsiedlung war die Calle del Roble ruhig, die Häuschen rechts und links unterschieden sich kaum voneinander. Ich bezahlte das Taxi und machte mich auf die Suche nach der Nr.24. Die Gegend war nicht so vornehm wie das Viertel Somosaguas, aber meine Welt war sie auch nicht. Gutgenährte Kinder fuhren mit dem Fahrrad hin und her, junge Mamas in Jeans beobachteten sie aus einiger Entfernung. Eine Siedlungsidylle der anspruchsvollen Mittelklasse. Die etwa zweihundert Quadratmeter Garten vor jedem Häuschen – es gab drei verschiedene Typen – waren ordentlich gepflegt.

Die Nr.24 sah genauso aus wie die 23, mit dem einzigen Unterschied, daß vor der 23 ein glänzender *Ford Fiesta* stand und vor der 24 nichts. In Zacarías' Häuschen brannte Licht.

Ich kletterte über das Gitter in den Garten. Hier vorne war niemand zu sehen. Der Swimmingpool war winzig, hatte aber ein Treppchen, einen Sonnenschirm und alles. Ich ging um das Haus herum nach hinten.

Vor dem Hintereingang saß Zacarías' Mutter auf einem

Stühlchen und putzte grüne Bohnen. Ich holte meinen *Gabilondo* raus und hielt ihn der Alten vor die Nase. Die Bohnen fielen ihr auf den Boden, sie riß den Mund sperrangelweit auf.

„Was ... Was wollen Sie?" stammelte sie.

„Ist der Junge zu Hause?" fragte ich.

„Was wollen Sie?"

„Keine Bewegung, dann passiert Ihnen nichts."

Ich ging an ihr vorbei und stieß die Küchentür auf. Hinter mir schrie die Alte:

„Zacarías! Zacarías! Ogottogott! Zacarías!"

Im Nebenzimmer hörte ich Schritte. Ich stürzte hinein und überraschte den Chauffeur, der gerade von einem Sofa aufgestanden war. Das graue Möbel war so groß wie der Katafalk für einen Riesen. Der Farbfernseher davor lief, der Ton jedoch war abgestellt. Zacarías war nicht im mindesten erstaunt.

„Hallo, Bulle! Wie geht's?"

Die Alte kam kurzatmig hinter mir her.

„Junge!"

„Das ist ein Freund, Mama. Geh ruhig wieder in die Küche."

Die Alte stand wie eine hungrige Löwin vor mir. Sie preßte die Kinnladen aufeinander, ihre Augen sprühten Feuer. Schließlich drehte sich sich um und verschwand in der Küche. Zacarías schaltete den Fernseher aus.

„Was treibt dich her, Bulle?"

„Du schuldest mir Geld."

„Ich? Dir?"

„Die Kiste *Montecristos*. Dreitausendzweihundertfünfzig will ich dafür haben. Hättest du die Güte, mir das Geld zu geben?"

„Du bist 'n komischer Vogel, Bulle."

„Das ist kein Witz, Zacarías. Ich sag's nicht noch einmal: Ich will mein Geld."

Er sah mich eine Weile schweigend an, dann stand er auf, ging zu einem hellbraunen Büfett. Darüber hing ein Bild, auf dem ein alter Gitarrenspieler abgebildet war. Zacarías zog eine der Schubladen auf.

„Vorsicht, ich hab dich genau im Visier!"

Zacarías drehte sich um.

„Ich will dir das Geld geben."

„Hoffentlich. Bei der geringsten Bewegung verbrenn ich dir das Fell."

„Keine Sorge! Ich erinnere mich noch sehr gut daran, wie schnell du im *Gavilán* geschossen hast…"

Er nahm drei Scheine aus der Schublade und wedelte damit.

„Dreitausendzweihundertfünfzig, Zacarías!"

Er wühlte in seinen Hosentaschen, bis er das Geld zusammen hatte. Ich ging zu ihm und steckte es ein.

„So, jetzt sind wir quitt, Bulle. Willst du dich nicht setzen?"

„Nein."

„Was trinken? Ich hab alles da… Gin, Whisky, Rum, Wermut… Was möchtest du?"

Ich steckte den *Gabilondo* ein und setzte mich aufs Sofa. In einer Ecke des Wohnzimmers befand sich eine Minibar mit einer kleinen Theke, drei Hockern und einem Regal mit Getränken. Daneben führte eine Treppe ins obere Stockwerk. Der Raum war groß und hell, die Möblierung allerdings eher chaotisch: Sofa, Büfett, Minibar, Fernseher sowie zwei Sessel. Alles war irgendwie zu klotzig.

„Gin-Tonic", sagte ich und zündete mir eine Zigarette an.

Zacarías kam meinem Wunsch nach. Sich selbst goß er einen Gin pur ein. Er gab mir mein Glas und setzte sich in die andere Ecke des Sofas. Ich nahm einen Schluck.

„Dir geht's gut, was?" sagte ich. „Hast Karriere gemacht, hm?"

„Ja, Bulle, ziemlich. Nicht schlecht für einen wie mich. Und meine Mutter freut sich. Hat ihr ganzes Leben Vorstadtkinos und Häuser von reichen Säcken geputzt. Jetzt ist Schluß damit! Ich mach 'ne Bar auf."

„Mit dem Geld von Clara oder von Céspedes?"

Er kam nicht zum Antworten. Die Tür wurde geöffnet, und die Alte steckte den Kopf ins Zimmer.

»Alles o.k., Mama. Hab dir doch gesagt, das ist 'n Freund von mir. Geh wieder in die Küche… Warum bleibst du nicht zum Essen, Bulle?« fragte er mich. »Mutter kocht hervorragend, und es wird Zeit, daß wir mal Gäste haben. Was meinst du?«

»Nein, wenn ich das hier getrunken habe, gehe ich.«

»Los, Mama, hau ab!« Der Kopf der Alten verschwand aus dem Türspalt. »Du läßt dir was entgehen, Bulle. Mutter kocht wirklich erstklassig. Vielleicht mach ich sogar 'n Restaurant auf! Wenn die Leute wissen, wie meine Mutter kocht, ist der Laden voll. Du wirst sehen…«

»Ich hab dich gefragt, ob das Geld von Clara oder von Céspedes stammt.«

Das Geräusch, das aus seinem Mund kam, hörte sich beinahe so an wie ein normales Lachen.

»Was ist eigentlich mit dir los, Bulle? Warum sollen wir, die immer andere Leute bedienen müssen, du eingeschlossen, Bulle, warum sollen wir anständig bleiben? Kannst du mir das mal sagen? Die da oben sind's nämlich nicht! Die erpressen, lügen und betrügen, beuten uns erbarmungslos aus. Und da sollen wir nicht mitmischen? Hast du darauf eine Antwort, Bulle? Bist doch sonst so schlau… Nein, darauf weißt du nichts zu sagen. Clara ist eine läufige Hündin. Seit ich bei Cazzo als Chauffeur angefangen habe, ist sie zu mir ins Bett gestiegen. Das war für sie wie Teetrinken oder Kartenspielen mit ihren Freundinnen… Zweimal pro Woche war der Chauffeur dran… Doch, die Damen machen das prima.«

»Und du hast sie abgezockt.«

»Ja, klar! Die machen ja auch nichts umsonst. Warum soll ich nicht versuchen, Geld rauszuschlagen? Das war von Anfang an so geplant. Ich war fast mein ganzes Leben lang bei diesen ‚Herrschaften‘ in Stellung, und der einzige Unterschied zwischen denen und mir ist nur äußerlich. Sie verstellen sich nämlich die ganze Zeit, aber wir, die Leute unserer Schicht, du und ich, Bulle, wir haben's nicht nötig, uns zu verstellen. Wir sind, was wir sind."

„Mit der Tochter auch?"

„Nein, so blöd bin ich nicht. Nur… Die Kleine haßt ihre Mutter bis aufs Blut, und dann kriegte sie raus, was zwischen uns lief. Erzählte der Mutter, ich hätte was mit ihr. Clara hat's geglaubt und ist wütend geworden. Sogar geohrfeigt hat sie mich, vor dem Mädchen! Später hat sie's dann bereut. Hier der Beweis: dies Haus."

„Wie schön für dich, Zacarías. Bist ja richtig geschäftstüchtig… und seht ihr euch noch, die Señora und du?"

„Natürlich! Sie kommt hierher."

Wir tranken aus und saßen schweigend da. Aus der Küche hörte man das Scheppern von Töpfen, eine Uhr schlug. Alles hier war sauber, peinlich sauber. Eine übertriebene Sauberkeit.

„Ich hau ab, Zacarías, laß es dir gutgehn." Ich stand auf und stellte das leere Glas auf den Fernseher. „Was ich noch immer nicht kapiere, ist der Grund für deinen Besuch bei mir zu Hause. Daß du mich nur fragen wolltest, warum ich dich gesucht hab, glaub ich nicht. Ich halte dich eher für verlogen als für blöd. Ich glaub eher, du wolltest rauskriegen, ob ich wußte, wo sich der Blonde versteckt hielt."

Er wurde blaß. Es war das erste Mal, daß Zacarías Wirkung zeigte.

„Ach ja?"

„Ja! Wenn ich das nämlich gewußt hätte – so wie du! – dann hättest du von Céspedes nicht mehr die gleiche Summe für dein Schweigen verlangen können. War's nicht so, Zacarías?"

„Ich hab ja immer schon gesagt, daß du clever bist, Bulle!"

„Du hast den Blonden aus dem *Gavilán* rausrennen sehen, und ich glaub, daß du auch noch jemand anders gesehen hast, jemand, den du sehr gut kennst. Die Polizei und Céspedes haben bis vor kurzem geglaubt, ich hätte diesen Jemand auch gesehen. Aber das stimmt nicht. Wenn Clara erfährt, daß du die Mörder ihres Mannes deckst, dann wird ihr das bestimmt nicht gefallen... trotz der Hörner, die sie ihm verpaßt hat... Und dann bist du raus aus dem Geschäft, Zacarías!"

Ein Tiger hätte nicht so springen können. Cazzos ehemaliger Chauffeur stürzte sich mit einem fürchterlichen Schrei auf mich. Hundert Kilo Muskeln kamen auf mich zugeflogen, ohne daß ich Zeit gehabt hätte, meinen *Gabilondo* rauszuholen. Wir wälzten uns auf dem Boden. Seine Fäuste, riesig wie Keulen, bearbeiteten mein Gesicht. Als er mich beinahe bewußtlos geschlagen hatte, packten seine Pranken meinen Hals und drückten zu. Eine Mordswut stand in seinen Augen. Ich konnte ruhig um mich schlagen, sein Körper schien dagegen unempfindlich zu sein.

Durch einen roten Nebel aus Blut sah ich seine Mutter.

„Schlag ihn tot, Junge! Er soll uns zufrieden lassen! Mach ihn fertig!" hörte ich sie keifen.

Der Druck seiner Pranken ließ nach. Zacarías drehte sich zu seiner Mutter um.

„Raus hier, Mama! Geh raus!"

Mit allen Kräften, die ich mobilisieren konnte, stieß ich ihm meine Finger in die Augen. Zacarías heulte auf wie ein wildes Tier und warf sich zu Boden. Stöhnend preßte er sich die Hände aufs Gesicht.

Ich sprang auf die Beine, aber da stürzte sich die Mutter kreischend auf mich. Ihre Fingernägel krallten sich in meinen Hals, ich spürte ihre Zähne an meiner Kehle. In Todesangst schlug ich ihr auf den Kopf. Ich packte die Alte, schleuderte sie in Richtung Sofa, sie fiel hin und blieb bewußtlos liegen. Gerade rechtzeitig drehte ich mich um und sah Zacarías, der mich wieder angreifen wollte. Aus seinen Augen floß Blut. Aber ich hatte meinen *Gabilondo* rausholen können und zog ihm mit dem Kolben eins über. Viermal mußte ich zuschlagen, dann ging er zu Boden. Ich sprang über ihn hinweg, rannte durch die Küche hinaus in den Garten, nach vorne auf die Straße, wo ich ein Taxi heranwinkte.

Die Eisenrolladen vor Santos' Bar waren schon halb herun-
tergelassen. Licht fiel in einem schmutzigen Rechteck auf die
Straße. Die Leuchtreklame, *Bar Corona Verde*, war bereits
ausgeschaltet. Ich bückte mich und ging hinein.

Ein blasser, unrasierter Kerl mit Koteletten bis auf die Kinnladen hantierte am Spülbecken mit Gläsern. Das Lokal war
nur durch die Neonröhre über der Theke erhellt.

Ich setzte mich auf einen Hocker und zündete mir eine
Zigarette an.

„Einen Kognak", bestellte ich.

Er wischte sich die Hände an der schmierigen Hose ab und
fuhr fort, Gläser zu spülen. Aus der Musikbox neben dem
Eingang erklang die Stimme von Lolita Garrido, *Mi perrita
pequinesa*. Die Platte war von einer dicken Frau ausgewählt
worden, deren Hut auch gut an den Strand gepaßt hätte. Sie
verschwand hinten im Lokal, wobei sie mit ihrer Fistelstimme
das Lied mitträllerte.

Der Kerl am Spülbecken zog einen Stecker raus, und die
Musik verstummte. Die Frau ließ ein besoffenes Brummen
hören. Sie hatte sich ganz hinten in eine Ecke gesetzt. Als sich
meine Augen an das Halbdunkel im hinteren Teil des Lokals
gewöhnt hatten, bemerkte ich zwei Tische neben ihr einen
Mann, der leise vor sich hinstöhnte, während er seine Hand in
Höhe des Hosenschlitzes rhythmisch bewegte.

„He, ihr! Raus mit euch!" rief der Kellner den beiden zu.

„Einen Kognak", wiederholte ich.

Jetzt erst drehte er sich um und sah mich an. Er trocknete
sich die Hände an einem Lappen, dann holte er eine Flasche
aus dem Regal, so als wär's Nitroglycerin. Er nahm eins von

den Gläsern, die er gerade spülte, stellte es vor mir auf die Theke und goß Kognak ein.

„Ich hab gesagt, ihr sollt abhaun, verdammt nochmal!" rief er wieder den beiden im Halbdunkel zu.

Ich gab ihm ein Fünfzig-Pesetas-Stück. Er steckte es ein.

„Ist Santos *El Calvo* oben?" fragte ich.

Er stützte sich auf die Theke.

„Santos *El Calvo*? Kenn ich nicht."

„Da oben gibt es seit wenigstens zehn Jahren 'ne Spielhölle."

Ich zeigte auf einen Kronkorkenvorhang, hinter dem eine Treppe nach oben führte.

„Ach ja?" Er schrie wieder nach hinten: „Raus mit euch! Los, du Hure, mach, daß du wegkommst, sonst geb ich dir 'n Tritt in den Arsch!"

Der Schatten mit der rhythmischen Hand gab einen unartikulierten Schnarchton von sich. Dann fummelte er unter dem Tisch an sich rum, stand auf und schlurfte hinaus. Das dicke Weib versuchte ebenfalls aufzustehen, grunzte, versuchte es zum zweiten Mal und stand endlich auf den Beinen. Als sie an mir vorbei zum Ausgang wankte, konnte ich ihr rotes, aufgedunsenes Gesicht sehen.

Der Herr mit den Koteletten nahm eine Eisenstange und streichelte sie mit großen, roten Händen.

„Heute hab ich von Besoffenen die Schnauze voll", knurrte er.

Ich trank einen Schluck Kognak.

„Santos *El Calvo* ist ein Freund von mir. Warum beenden wir die Nacht nicht friedlich?"

Er kam hinter der Theke hervor. Kleiner, als ich gedacht hatte, dafür aber breitschultriger.

„Jetzt bist du dran", knurrte er und schwang die Eisenstange über seinem Kopf.

„In Ordnung", sagte ich, „ich geh ja schon. Brauchst doch nicht gleich so wütend zu werden."

Ich wollte mich bücken, um hinauszuschlüpfen. Er hätte

sich besser etwas abseits halten sollen. So aber trat ich ihm zwischen die Beine. Er schrie auf und ließ die Stange fallen. Ich verpaßte ihm einen rechten Haken ans Kinn, der ein Klavier umgestoßen hätte. Seine Backenknochen krachten, wie ein nasser Sack ging er zu Boden. Wenn mich Bala Pacheco gesehen hätte, mein alter Trainer, er hätte mich geküßt.

Ich packte den Kerl an den Revers, warf ihn auf die Straße und ließ die Eisenrolladen ganz runter. An der Theke kippte ich mir noch einen Kognak ein und trank ihn in einem Zug. Dann schob ich den Vorhang zur Seite und stieg die Treppe hinauf.

Die Tür oben war gepolstert, so daß ich energisch klopfen mußte. Auf der anderen Seite hörte ich schlurfende Schritte.

„Wer ist da?“ fragte eine versoffene Stimme.

„Toni Romano“, antwortete ich. „Ich will zu Santos.“

„Toni?“

„Ja.“

In einer kleinen Öffnung der Polstertür zeigte sich ein Gesicht, das aussah wie 'n mühsam geknetetes Brot.

„Ach, Toni“, lallte es.

Ein Riegel wurde zurückgeschoben, die Tür geöffnet. Der versoffene Typ trat zur Seite und ließ mich herein. Als ich seine Fahne roch, wär ich beinahe rückwärts die Treppe runtergefallen. Ich hielt die Luft an und trat in ein Zimmer, in dem ein unlackierter Tisch voller Comics und bunter Zeitschriften, außerdem zwei Stühle und ein Garderobenständer standen, der unter den Mänteln und Jacken fast zusammenbrach. In einer Ecke war ein Waschbecken installiert. Gegenüber befand sich eine geschlossene Tür. Der versoffene Wachhund hieß Pepe Cejuela, *El Ducati*, von Beruf Gauner.

„Was ist los, Toni?“ bellte er.

„Nichts. Ich will zu Santos.“

„Bist du nicht zum Spielen gekommen?“

„Damit ihr mich schröpft?“

El Ducati hustete. Ich sah zur Seite. Er spuckte, und der

Schleimklumpen landete in dem Becken, obwohl er mehr als fünf Meter davon entfernt stand.

„Ich muß dich durchsuchen, Toni."

„Wieso das?"

„Anweisung vom Chef. Er will da drin keine Leute mit Schießeisen haben."

Ich holte meinen *Gabilondo* raus. *El Ducatis* Augen verengten sich zu einem Schlitz.

„Ach, wie hübsch", sagte er.

„Verwahr ihn gut."

Er nahm die Waffe, als handele es sich um einen Wurf Ratten. Ich ging zu der geschlossenen Tür, drückte die Klinke runter und trat in den nächsten Raum. Die Atmosphäre war so geladen, daß man sie mit einem Streichholz explodieren lassen konnte. Keiner der Köpfe, die fieberhaft über Tische gebeugt waren, bewegte sich, als ich reinkam. Die gedämpften Rufe und Flüche galten dem Spiel. Alles andere war uninteressant.

Über jedem Tisch brannte eine Lampe, und jeweils ein Mann „machte die Bank", das hieß, er strich zugunsten des Hauses soundsoviel Prozent des Gewinns ein. Jeder der sechs Tische war voll besetzt. Es wurde ausschließlich *pastos* gespielt, ein Würfelspiel. Jeder Tisch ist in drei verschiedenfarbige Felder unterteilt. Auf dem mittleren Feld mit der 7 muß man die Würfel werfen. Die linke Seite teilt sich in fünf Felder mit den Nummern 2-3-4-5-6, die rechte ebenfalls, aber mit den Nummern 8-9-10-11-12. Die Spieler stehen und wechseln häufig die Tische. Der niedrigste Einsatz beträgt hundert Pesetas, der höchste fünftausend, *pase* genannt.

Ich blieb vor einem der Tische stehen. Hier agierte ein hellblonder Typ, kräftig, so breit wie hoch. Als er mich erkannte, grinste er übers ganze Gesicht, so daß seine Zähne im Licht der Lampe blitzten. Es war Ángel Carrillo, *El Posturas*.

„He, Toni!" rief er. „Ich dachte, du wärst tot."

„Mann, Posturas! Arbeitest du beim Calvo?"

Er zuckte die Achseln und schüttelte den Würfelbecher. Die

Spieler beugten sich über den Tisch und setzten ihre Jetons auf die Felder.

„Man muß leben."

„Wo ist Santos?"

Er knallte die Würfel auf den Tisch. Es kamen die 4 und die 6. Die Spieler, die auf die 10 gesetzt hatten, verdoppelten ihren Einsatz und kassierten alle Einsätze der rechten Seite.

„Im Büro", sagte *El Posturas* und wies mit dem Kinn zu einer Tür.

Während er noch mit mir redete, verteilten seine flinken Hände die Spielmarken an die Gewinner und schoben den Rest in eine Brieftasche, die er in seinen Gürtel steckte.

Ich überließ die Spieler ihrem Schicksal und ging zu der kleinen Theke, an der man die Spielmarken kaufen konnte. Ein Mann mit Hasenzähnen sah mir entgegen. Ich ging um ihn herum und stieß eine grüne Tür auf.

Der große Raum war vollgestopft mit Möbeln. Sogar eine Kaminattrappe gab es. Das Ganze sah aus wie ein Trödelladen. In einer Ecke stand ein rundes Plüschsofa, an den Wänden hingen Bilder mit breiten Rahmen. In Regalen reihten sich Buchrücken aneinander. Bücher, die nie gelesen werden. Auf den Teppich konnte ein Bär neidisch sein.

Santos stand in der Mitte des Zimmers, in der linken Hand ein Glas, in der rechten den Telefonhörer. Als ich eintrat, nickte er mir zu.

„Moment!" sagte er in die Muschel und hielt den Hörer gegen die Brust. „Was willst du, Toni?"

Ich warf einen gleichgültigen Rundblick auf die Zimmereinrichtung und ging zum „Kamin".

„Leg auf, Santos. Ich muß mit dir reden."

„Es ist Toni Romano", sagte er wieder in die Muschel. „Ja…" Er nickte und sah mich an. „Sie wollen mit dir reden, Toni."

Er reichte mir den Hörer.

„Toni Romano", meldete ich mich.

„Romano?" Es war die Stimme von Céspedes. „Hören Sie,

legen Sie bitte nicht auf. Ich habe Ihnen was zu sagen. Das wird Sie interessieren."

„Ich habe nichts mit Ihnen zu besprechen, Céspedes."

„Ich will Ihnen was vorschlagen." Pause. „Ich weiß genau, wann ich verliere und wann ich gewinne. Und Sie wissen das bestimmt genausogut. Wenn Sie mit dem Quatsch, der Ihnen im Kopf rumspukt, zur Polizei laufen, sind Sie reif! Ich häng Ihnen einen Prozeß wegen Beleidigung an den Hals, und ich werd ihn gewinnen. Hören Sie? Dort, wo Loren Sie hinge-bracht hat, ist kein Grashalm umgeknickt. Und was Loren und Lacrampe betrifft, so ist es, als hätte es die beiden nie gegeben. Niemand hat gemerkt, daß die verschwunden sind. Und es wird auch niemand merken! Das heißt, Sie haben kei-nerlei Beweise in der Hand. Überlegen Sie sich's gut! Santos wird keinen Ton sagen, und Zacarías noch weniger. Sie sind am Zug, Romano! Ich hoffe, Sie überstürzen nichts. Ihr einzi-ger Beweis ist ein blonder Junge mit Pockennarben, den Sie in einer düsteren Diskothek zu sehen geglaubt haben, Lacram-pes Bruder. Der Idiot hat Cazzo umgebracht. Ein Unfall, wir haben das nämlich nicht gewollt… Na ja, was geschehen ist, ist geschehen… Santos wird Ihnen hunderttausend Pesetas geben, als Ausgleich für die Unannehmlichkeiten, die Sie hat-ten. Was sagen Sie dazu?"

„Nein."

„Wie Sie wollen, aber ich erinnere Sie noch mal daran: Der Fall ist erledigt, und über den Blonden wird kein Wort mehr ver-loren. Er hat Miami offiziell nie verlassen und wird so bald nicht nach Spanien zurückkommen… Toni, es gibt Arbeit für Sie! Santos hat recht: Man muß Sie gut behandeln, Sie sind viel wert!"

Ich legte ganz langsam den Hörer auf die Gabel. Santos beobachtete mich, reichte mir ein volles Glas. Ich nahm es und ließ mich auf das Plüschsofa fallen. Eine ganze Weile saß ich schweigend da. Santos hüstelte.

„Sei realistisch, Toni."

„Realistisch, ja klar! Sag mal, Santos, wie lange warst du bei der Polizei?"

„Fünfzehn Jahre."

„Na prima."

„So ist das Leben, Toni. Mach's dir nicht zu schwer. Was geht's dich an? Das war 'ne Sache zwischen Céspedes und Cazzo. Niemand wollte ihn umbringen. Die Schuld hat Gustavo, dieser Blödmann."

„Hast du den Schrotthaufen in dem Wald wegräumen lassen?"

„Die Stelle ist vollkommen sauber, und die Leichen werden nie gefunden werden. Daß ich die beiden umgebracht habe, wird nie jemand erfahren." Er schwieg eine Weile. „Cazzo war ein Riesenarschloch. Du kannst dir nicht vorstellen, was für ein Schwein das war. Hat hinter dem Rücken von Señor Céspedes mit den Kunden Kontakt aufgenommen. Er wollte das Geschäft um jeden Preis alleine machen. Und das ist nicht das einzige! Du würdest dich langweilen, wenn ich dir erzählen würde, wie durchtrieben Cazzo war."

„Ja, das interessiert mich nicht die Bohne... Und Céspedes hat Lacrampe beauftragt, Cazzo zu erpressen. Wahrscheinlich mit dieser Emilia. Cazzo hatte 'ne Schwäche für Saunabesuche. Einzelheiten kenne ich nicht, aber so ungefähr muß es gelaufen sein."

Santos preßte die Lippen aufeinander. Ich trank meinen Kognak aus.

„Diese Dokumente hat es nie gegeben", fuhr ich fort. „Der Blonde muß Cazzo wohl Fotos gezeigt haben, mit denen er ihn erpressen wollte. Die hat er dann aber mitgenommen. Warum wurde dann nach Zacarías so fieberhaft gesucht? Ich habe mich die ganze Zeit gefragt, warum der Blonde so leicht und spurlos verschwinden konnte. Und ich habe auch eine Antwort gefunden. Irgend jemand hat ihn in seinem Wagen versteckt." Ich machte eine Pause. „Deshalb war er wie vom Erdboden verschluckt. Dieser Jemand mit dem Auto könntest du zum Beispiel gewesen sein, Santos."

„Also..."

„Also, du warst es, Santos! Deswegen das Interesse, den

ehemaligen Chauffeur von Cazzo zu finden. Ihr wolltet ihn kaufen oder töten. Zacarías hat nämlich gesehen, wie sich der Blonde in deinem Wagen versteckt hat. Ihr hattet Angst, daß er den Mund auftat. Zacarías weiß über alles Bescheid."

„Es ist schon spät, Toni. Ich muß zurück ins Lokal."

„Klar, Mann. Geschäft ist Geschäft… Aber was ist eigentlich mit Baldomero passiert, dem Inhaber vom *Gavilán*? Habt ihr ihn ‚selbstgemordet', aus Angst, daß auch er was wußte?"

„Nein, Toni, ich schwör's dir. Damit haben wir nichts zu tun. Er hat Selbstmord verübt, weil die Polizei seinen Laden dichtgemacht und ihn wegen Zuhälterei drangekriegt hat. Das mußt du mir glauben!"

„Und Felipe? Und Emilia?"

„Marques und Suárez sind bei ihrem Verhör etwas zu weit gegangen. Das ist dann als Unfall hingestellt worden."

„Als Selbstmord, Santos."

„Und Emilia wurde umgebracht, weil sie nach Cazzos Tod Angst gekriegt hatte."

„Eure Perfektion kotzt mich an, Santos."

Ich stand auf, ging durch den Spielsaal, nahm von *El Ducati* meinen *Gabilondo* in Empfang und verließ das Lokal.

Santos saß noch immer auf dem Plüschsofa.

Ich mußte noch oft an meine Fahrt im Kofferraum von Lorens Auto denken. Den Bärtigen würde man genausowenig vermissen wie den Kubaner. Aber wenn ich in jener Nacht draufgegangen wär, hätte mich auch niemand vermißt. Aus dem einfachen Grund, weil ich niemanden hatte! Als mir das so langsam klar wurde, sehnte ich mich nach Lidia. Ich wünschte, sie würde wieder zu mir zurückkommen. Aber sie kam nicht.

Ich erinnerte mich an ihr Lachen, an ihre Art, die Zigarette zu halten. Meine Wohnung kam mir immer grauer und leerer vor. In Gedanken schmiedete ich Pläne mit Lidia… und schimpfte mit mir selbst, weil ich so blöd gewesen war. So lange hatte ich alleine gegessen, und jetzt konnte ich es plötzlich nicht mehr ertragen. Einmal stürzte ich sogar aus dem *Danubio*, weil ich glaubte, sie auf der anderen Straßenseite zu sehen.

So entschloß ich mich eines Abends, meinen Stolz hinunterzuschlucken. Wie aus dem Ei gepellt, geduscht, rasiert, gekämmt, begab ich mich zum *Luna de Medianoche*.

Alles war noch so wie früher, außer daß ich nicht mehr dabei war. Lidia stand wie immer in der Garderobe. Sie schien mir hübscher denn je, aber sie sah mich kaum an. Auf meine Fragen antwortete sie zerstreut und gleichgültig, wie nur Frauen antworten können, wenn ein Mann sie nicht mehr interessiert. Dagegen warf sie Braulio feurige Blicke zu. Der war inzwischen zum Tischkellner avanciert und stolzierte in einem neuen schwarzen Anzug durch die Gegend.

Die Kollegen waren sehr nett. Klopften mir auf die Schulter und erkundigten sich nach meinem Befinden. Wir tranken zwei Kognaks zusammen, und ich versprach, sie wieder zu besuchen, um über die alten Zeiten zu plaudern.

Doch ich setzte keinen Fuß mehr ins *Luna de Medianoche*, und auch Lidia hab ich nie mehr wiedergesehen.

Madrid, Winter 1981

Anmerkungen des Übersetzers:

1. *Kapitel*
La Luna de Medianoche: Der Mitternachtsmond.

2. *Kapitel*
El Gavilán: Der Sperber.

3. *Kapitel*
Policía Nacional: Staatliche Polizei, zuständig in allen Provinzen Spaniens.
Zeta: Dienstwagen der *Policía Nacional*.
DGS (*Dirección General de Seguridad*): Oberste Polizeibehörde in Madrid.
El Calvo: Der Kahlkopf, „die Glatze".

4. *Kapitel*
Flor de Cano: Zigarrenmarke.
El Dedos: el dedo (*los dedos*), der (die) Finger.

5. *Kapitel*
La Joya: Der Schmuck, das Juwel.
Rey Mago: Einer der Heiligen Drei Könige.
Cara al Sol: Falangistenhymne (wörtl. „Gesicht zur Sonne").
Cruzada: wörtlich „Kreuzzug", Bezeichnung der Falangisten für den Span. Bürgerkrieg 1936–39.
Natillas: Micheierspeise zum Nachtisch, vergleichbar einem Eier-Vanillepudding.
El Danubio: Die Donau.
Faria: Zigarrenmarke.

6. *Kapitel*
Sara Montiel: Populäre Tangosängerin.
General Prim: Republikaner, katalanischer General, erfolgreich im Kampf gegen die Faschisten (vor dem Bürgerkrieg!).

8. *Kapitel*
La Cacatúa: Der Kakadu.

9. *Kapitel*
Puente de Praga: Eine der Brücken Madrids über den Manzanares.

11. *Kapitel*
COU (*Curso de Orientación Universitaria*): Kurs zur Vorbereitung auf das Universitätsstudium, vergleichbar der Oberstufe deutscher Gymnasien.

12. *Kapitel*
Café Abuelo: *el abuelo*, der Großvater.

15. *Kapitel*
Troya: Zigarrenmarke.
Bulería: Andalusischer Gesang mit Tanz.

16. *Kapitel*
Ich legte zwei *duros* in die Rille: In öffentlichen Telefonzellen legt man die Geldstücke auf eine Rille, von der sie erst durch einen Schlitz fallen, wenn die Verbindung hergestellt ist. Der *duro* ist eine Münze im Werte von fünf Pesetas.

20. *Kapitel*
El Posturas: *la postura*, die Haltung, die Pose.

Julian Rathbone

Foto: Jerry Bauer

550

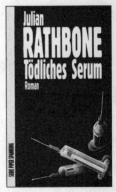

5526

515

5551

5571

501

5565

So schön wie zwei Wochen Ferien in Italien.«
ublishers Weekly

in zu Recht erfolgloser Architekt wird mit iner Waffe erschlagen, die so unaussprech- ch ist, daß die Polizei geheimhält, worum s sich handelt. Dieser obskure Mordfall, ne ganz besonders versnobte Gesellschaft, lte Landsitze, Großindustrie – die Misch- ng ergibt ein kriminalistisches Puzzle von öchstem Unterhaltungswert. »Ich habe Die Sonntagsfrau‹ voller Ungeduld – und achend – gelesen. Ich hätte am liebsten ie aufgehört!« *Natalia Ginzburg*

»Ein Roman, in der Perfektion seiner Machart atemberaubend.« ORF

Eine Dame wird von einem Priester angefallen, ein prominenter Würdenträger für einen Mafioso gehalten. Unterwelt und Polizei vertauschen zeitweilig die Rollen, das Gute sieht aus wie das Böse und die Finsternis wie das Licht . . . »Mit ihrem Roman haben Fruttero und Lucentini eine Comédie humaine en miniature geschaf- fen, in der die Nachtseiten der mensch- lichen Existenz mit Witz, Ironie und einer Spur Oberflächlichkeit erfolgreich in Schach gehalten werden.«
Alice Vollenweider, Tagesanzeiger